Ecstasy agus Scéalta Eile

Ecstasy agus Scéalta Eile

le

Ré Ó Laighléis

CLÓ MHAIGH EO

www.leabhar.com
Fón/Faics: 094-9371744

An Chéad Eagrán 1994
An tEagrán seo 1998
Athchló 2003
© Ré Ó Laighléis

ISBN 1 899922 25 9

Foilsíodh Mianach *agus* Dúchas *ar 'Anois' i 1994.*

Foilsíodh Ciotaíl *ar 'Cluain Soineantachta' (Comhar) i 1997.*

Arna phriontáil ag:
Clódóirí Lurgan Teo., Indreabhán, Conamara, Co. na Gaillimhe.

AN CLÁR

Le grá do
mo dheartháir Pete agus mo dheirfiúr Úna

ecstasy

Ecstasy

"*Gabh mo leithscéal, a mhúinteoir. Brón orm a chur isteach ort. An gcuirfeá Úna Nic Gearailt chun na hoifige chugam, le do thoil? Úna Nic Gearailt chun na hoifige. Go raibh maith agat.*"

Leis sin múchadh an *intercom* agus clagarnach uaidh mar ba ghnáth.

"Úúúúúúú!" arsa cailíní an ranga, cuid acu á dhéanamh le teann mailíse, cuid eile mar nach raibh sé de mhisneach acu gan é a dhéanamh. Dhearg éadan Úna nó gur ghaire do chorcra ná do dhath ar bith eile é.

"Úna, síos leat," arsa Bean Uí Neachtain, an múinteoir Fraincise.

"Tar isteach," arsa Bean Mhic Dhonncha nuair a chnag Úna ar dhoras na hoifige. Shamhlaigh sí gur bhain an glaoch seo go hoifig an Phríomhoide le cúrsaí leabhar nó le cúrsaí éide - bhí sí fós gan pilirín dúghorm na scoile a bheith aici ó tháinig siad ar ais trí seachtainí ó shin. Bhí leithscéal réitithe ina hintinn cheana féin aici. D'oscail sí an doras agus isteach léi.

"Á, Úna!" arsa Bean Mhic Dhonncha. Bhí sí ina suí ag a deasc. Bhí an Leas-Phríomhoide, Seán Ó Néill, ina sheasamh taobh léi. Bhí cion ag Mac Uí

Néill ar Úna agus ag Úna airsean. Mhúin sé Matamaitic di sa chéad bhliain agus arís sa dara bliain, agus réitigh siad go maith le chéile. Ach, ó rinneadh Leas-Phríomhoide de, ba lú é an méid múinteoireachta a bhí ar siúl aige.

" Úna," ar sé, agus sméid a cheann uirthi.

"A Mhic Uí Néill," arsa Úna.

"Suigh síos, a Úna, le do thoil," arsa an Príomhoide.

A luaithe agus a shuigh Úna sheas Bean Mhic Dhonncha. Shiúil sí sall go dtí seastán na gcótaí a bhí i gcúinne na hoifige agus bhain cóta dúghorm de, ceann de chótaí éide na scoile; tháinig sí anall arís agus shín trasna na deisce chuig Úna é.

"Sin é do chótasa, a Úna, ceapaim," arsa an Príomhoide. Thóg Úna uaithi é agus d'aimsigh a hainm a bhí scríofa ar an éadach taobh istigh den bhóna.

"Is é, a Bhean Mhic Dhonncha," ar sí go cúirtéiseach. Bhí sí neirbhíseach freisin. Ní raibh aon tuairim aici céard faoi a bhí an t-agallamh seo, nó cén chaoi ar tharla sé a cóta a bheith istigh in oifig an Phríomhoide.

"Ar mhiste leat a bhfuil sna pócaí a chur amach ar an mbord anseo, a Úna," arsa Mac Uí Néill.

Ina hintinn féin bhí Úna ag cíoradh agus ag cúiteamh, ag iarraidh cuimhneamh ar céard a bhí sna pócaí aici. Naipcín, shíl sí, airgead an bhus, is dócha, eochracha b'fhéidir. Sheas sí agus thosaigh ar na pócaí a fholmhú. Bhí gach ar shamhlaigh sí istigh ann ceart go leor, chomh maith le sleamhnán gruaige agus ticéad leabharlainne. Bhreathnaigh sí ar an mbeirt a bhí os a comhair.

"Agus anois an póca istigh," arsa Bean Mhic Dhonncha.

"Póca istigh?" arsa Úna.

"Sea, a Úna, an póca atá sa líneáil!"

Bhí cuma mhearbhallach ar Úna. Ní raibh a fhios aici riamh go raibh póca sa líneáil sin. Chuardaigh sí agus b'in ansin é, gan aon agó, é chomh soiléir feiceálach agus a bhí póca ar bith eile sa chóta. D'fhéach sí ar an mbeirt agus chuir meangadh iontais uirthi féin. Ach ní raibh aon mheangadh ar a n-aghaidheanna siúd; bhí siad righin, fuar, an-dáiríre go deo. Thum Úna a lámh isteach agus d'airigh rud nó dhó istigh ann. Rug sí greim orthu agus bhain amach iad. Dhá mhilseán, de chineál, agus páipéar bán mar fhillteáin orthu; cuma *Rennies* orthu, dáiríre.

"Le do thoil," arsa an Príomhoide, agus shín sí lámh chuig Úna chun iad a ghlacadh uaithi. "Cá bhfuair tú iad seo, a Úna?" ar sí.

"I mo phóca, a Bhean Mhic Dhonncha," arsa Úna.

D'at éadan an Phríomhoide le teann feirge, ach shíl an Néilleach labhairt sula bpléascfadh an fhearg sin .

"Anois, a Úna, níl aon chúis a bheith glic," ar sé.

Ach, ní raibh Úna ag iarraidh a bheith glic ar chor ar bith. Soineantacht ba chúis leis an bhfreagra a thug sí.

"Ó, gabh mo leithscéal," ar sí, "ní ar mhaithe le bheith glic a dúirt mé an méid sin. Níor thuig mé i gceart tú, a Bhean Mhic Dhonncha. Gabh mo leithscéal."

"Bhuel" arsa an Príomhoide, "cá bhfuair tú iad
más ea?" Bhí a héadan righin i gcónaí.

"Níl a fhios agam, a Bhean Mhic Dhonncha. "Ní
raibh a fhios agam go fiú go raibh póca sa chuid sin
den chóta," arsa Úna.

Ní raibh a fhios ag an mbeirt oidí an é gur
soineanta a bhí an cailín seo nó arbh é an chaoi gurbh
aisteoir an-mhaith í. Is cinnte nár thug sí trioblóid
riamh sa scoil ó tháinig sí ann trí bliana roimhe sin,
ach thuig siadsan go rímhaith gur minic nach dtugtar
fadhb faoi deara nó go mbíonn sé ródhéanach. Bhí
príomhoidí scoileanna na cathrach ar fad an-imníoch
faoin bhfadhb áirithe seo le beagán de bhlianta anuas
agus, cé go raibh an-iarracht á déanamh chun í a
stopadh, is ag dul in olcas a bhí cúrsaí. "Ach céard tá
iontu ach taibléid *Rennies* nó rud éigin dá sórt, a
Bhean Mhic Dhonncha!" arsa Úna.

D'amharc an bheirt oidí ar a chéile agus
thuigeadar láithreach gur soineantacht agus séimhe
iad na tréithe a bhain le hÚna Nic Gearailt.

"Sea, Úna," arsa Bean Mhic Dhonncha, "nó rud
éigin dá sórt..." Bhreathnaigh an Príomhoide ar
Mhac Uí Néill.

"Féach, a Úna," ar seisean, "tá brón orainn tú a
tharraingt amach as an rang. Anois, más cuma leat,
ba mhaith linn do chóta a choinneáil ar feadh
tamaillín." Chas sé i dtreo an Phríomhoide.
"Ceapaim go bhfuil cóta nó dhó breise sa seomra
stórais, a Bhean Mhic Dhonncha. D'fhéadfadh Úna
ceann díobhsan a thógáil idir an dá linn," ar sé.

"Ó, cinnte, cinnte. Roghnaigh ceann duit féin ar
an mbealach ar ais chun an ranga, a stóirín," arsa an

Príomhoide, agus í ag siúl chomh fada leis an doras le hÚna. "Agus arís, tá an-bhrón orainn an rang a bhriseadh ort."

Lasmuigh bhí triúr de chailíní na cúigiú bliana ina seasamh ag Clár na bhFógraí, Hilda Bergin, ceann de bhulaithe móra na scoile, ina measc. Stán siad ar Úna agus thosaigh ag cogarnaíl le chéile ansin.

Istigh san oifig bhí an bheirt oidí ag plé na ceiste i gcónaí.

"Á, ní dóigh liom go bhfuil aon bhaint ar chor ar bith aici leis na cúrsaí seo," arsa an Néilleach.

"Bhuel, tá mé cinnte nach bhfuil, a Sheáin, tar éis na cainte a chualamar uaithi. Ceapaim, anois ach go háirithe, go raibh an ceart againn gan aon cheo a rá léi faoin nóta."

"Ó, aontaím go hiomlán leat. Is maith go raibh sé bainte as an bpóca roimh ré againn. Is léir nach bhfuil dada ar eolas aici faoi chúrsaí drugaí," arsa Mac Uí Néill.

Chrom siad beirt chun an nóta a scrúdú athuair. Bloclitreacha:

'AN MÉID SEO IN AISCE - £12 AIR FEASTA'

Thuas staighre, bhí intinn Úna trína chéile faoinar tharla. Ní fhéadfadh sí díriú ar an gceacht Fraincise. Rang dúbailte a bhí ann agus níos mó ná uair amháin in imeacht an cheachta thug Bean Uí Neachtain faoi deara go raibh intinn Úna ar fán. Buíochas le Dia go raibh sí sách géar agus a thuiscint go raibh rud beag éigin ag déanamh scime d'Úna. B'fhearr gan cur isteach uirthi agus í mar sin, shíl sí.

Is mar sin a d'imigh an tráthnóna uirthi. Go fiú sa rang Tráchtála, rang deireanach an lae, bhí Úna bhocht gan mhaith. B'fhaoiseamh di é nuair a buaileadh clog na scoile ag deireadh an lae. Saoirse! Buíochas mór le Dia! An lá scoile ab fhaide dar chuimhin le hÚna riamh.

Bhí clós na scoile á thrasnú aici nuair a chuala sí a hainm á ghlaoch. Chas sí sa treo as ar tháinig an glaoch agus chonaic sí Hilda Bergin thíos in aice le doras ionad na leithreas.

"Mise!" arsa Úna. Bhí iontas de chineál uirthi. Bhíodh sí airdeallach ar Hilda Bergin i gcónaí, óir bhí sé de cháil uirthi gur duine garbh í.

"Sea, tusa," arsa Bergin. "Nach tusa Úna Nic Gearailt?"

"Is mé," arsa Úna. Ba léir do Hilda go raibh Úna bhocht in amhras fúithi.

"Gabh i leith anseo soicind," arsa Hilda.

Bhí faitíos ar Úna. Go deimhin, ba mhó faitíos a bhí uirthi gan dul chomh fada le Hilda ná a mhalairt. Dhruid sí go hamhrasach ina treo. A luaithe agus a tháinig sí chomh fada léi léim ceathrar eile de lucht na cúigiú bliana amach as an bpluaisín beag a bhí taobh thíos d'ionad na leithreas. Rug Bergin greim gruaige ar Úna agus tharraing síos a cloigeann. Ag aon am leis sin, d'ardaigh sí a glúin agus raid aníos i mbaithis Úna é. Tháinig fuil lena srón go fras agus ní raibh a fhios ag Úna arbh ann nó as í. Rug an ceathrar eile uirthi agus rinne siad í a tharraingt isteach trí dhoras fhorsheomra an leithris. Agus iad istigh, bhrúigh siad i dtreo ceann de na doirtil í. Bhí an doirteal lán d'uisce. Is ar éigean a bhí sé feicthe ag Úna nuair a tumadh a cloigeann ann. D'airigh sí na lámha ar cúl a muiníl á brú agus á coinneáil faoin uisce. Ní fhéadfadh sí dada a dhéanamh ach a cosa a chorraíl agus sórt rince sceimhle a dhéanamh. B'in dearmad. Rinne duine de na cailíní cic a tharraingt ar na colpaí uirthi agus murach go raibh greim acu uirthi, thitfeadh Úna i laige ar an toirt. Tharraing siad aníos as an doirteal í de ghreim gruaige agus thug anall go lár an fhorsheomra í, áit a raibh Hilda Bergin ina seasamh. Rug Hilda greim ar ghruaig Úna anois.

"Anois, a bhitseach lofa, tuig seo: oiread agus focal asatsa faoin E sin agus is measa i bhfad ná seo a bheidh sé duit -*Comprende*, huth?"

Níor thug Úna aon fhreagra. Ní hamháin nár thuig sí a raibh á rá ag Bergin, ach bhí sí ró-lag chun freagra ar bith a thabhairt.

"*Comprende!*" arsa Hilda, agus tharraing sí dorn sa bholg uirthi. Chúb Úna leis an bpian. "Agus ná habair dada le duine ar bith faoin mbatráil seo ach an oiread nó is ag dul ina taithí a bheidh tú!" arsa Hilda. Dorn eile sa bholg di agus rinneadh carnán cuachta d'Úna i lár an urláir.

An fear cothbhála a tháinig uirthi níos déanaí an tráthnóna sin. Srón bhriste, roinnt fiacla scaoilte agus súil ata uirthi. Tugadh go hoifig an Phríomhoide í. Tharla ceistiúchán. Tugadh na Gardaí isteach sa scéal ansin: a thuilleadh ceistiúcháin. D'fhan Úna ina tost ar feadh an ama - ní raibh a fhios aici dada, a dúirt sí. Go fiú nuair a tarrangaíodh a tuismitheoirí isteach sa scéal, dhearbhaigh Úna arís agus arís eile nach raibh a fhios aici cé a rinne an drochbheart uirthi.

D'inis Bean Mhic Dhonncha scéal na dtaibléad bán do na Gardaí agus do thuismitheoirí Úna. Bhí sí cinnte de gur le scéal seo na dtaibléad a bhain batráil an lae sin. Ach, céard d'fhéadfaí a dhéanamh mura raibh Úna in ann daoine a ainmniú nó a chúiseamh!

"Dada, dáiríre," a dúirt sáirsint na nGardaí. "Bheimis lánsásta teacht chun na scoile agus labhairt leis na daltaí faoi chúrsaí dá leithéid. Brúidiúlacht, gadaíocht, drugaí - tá cainteanna caighdeánta ar leith againn ar na nithe sin, más maith leat," ar sé leis an bPríomhoide. "Thairis sin, mar a dúirt mé, mura bhfuil cúiseamh ann nó mura mbeirimid féin lom dearg ar na mioscaiseoirí, ní féidir linn a dhath a dhéanamh. Is fadhb inmheánach í go dtí sin.

*   *   *

Níl rud is fearr le bulaí ar bith ná duine a bheith faiteach roimhe agus ba mar sin go díreach a bhí an scéal le Hilda Bergin. Nuair a chonaic sí chomh faiteach agus a bhí Úna oiread agus an méid ba lú a insint do na Gardaí agus don Phríomhoide, thuig sí go maith go bhféadfadh sí luí níos troime uirthi. Níorbh fhada nó bhí Úna á húsáid mar dháileoir aici. Thuig Úna anois faoi mar a tharla an dá thaibléad úd a bheith ina póca féin an chéad lá riamh. Bhí sí féin á gcur i bpócaí dhaoine eile anois. Bhí a fhios aici go raibh sé mícheart, ach dá mhéid de a rinne sí is ea ba mhó greim a bhí ag Hilda uirthi agus ba mhó faitíos a bhí ar Úna roimpi. Fáinne fí ceart a bhí ann ar deireadh. Úna ag déanamh rudaí mar go raibh faitíos uirthi gan iad a dhéanamh. Faitíos roimh an bhfaitíos a bhí uirthi i ndeireadh na dála. I ngalar na gcás a bhí sí.

Tharla, lá éigin go luath i ndiaidh laethanta saoire na Nollag, gur thug an Príomhoide agus an Leas-Phríomhoide cuairt ar gach rang sa scoil. Rinneadh batráil ar chailín eile fós an lá roimhe sin, ach ba mheasa an bhatráil sin ná an bascadh a tugadh d'Úna. Bhí an cailín áirithe seo san ospidéal. Aon bhlúirín eolais dá raibh ar chor ar bith ag éinne, d'fháilteodh an Príomhoide roimhe.

D'airigh Úna í féin ag deargadh san éadan nuair a bhí Bean Mhic Dhonncha ag caint an lá sin. Bhí a fhios aici go maith gurbh iad Hilda agus a comhfheallairí ba chúis leis an mbatráil. Ach, ní raibh sé de mhisneach aici é sin a rá. Faitíos i gcoimhlint intinne leis an misneach, agus an misneach thíos leis. B'eol di an rud ceart le déanamh ach bhí mar a bheadh sí ag iarraidh breith ar eireaball na gaoithe.

Bhí Úna gan mhaith ar feadh an lae scoile sin. Í ag smaoineamh ar chás an chailín úd a bualadh agus, go deimhin, ar an lá uafásach úd ar bascadh í féin. Go fiú nuair a d'imigh sí abhaile, bhí an smaoineamh mar thaibhse ina hintinn; á priocadh, á ciapadh, á crá gan stad. Níor chodail sí néal dá bharr, agus ba throime ná riamh an t-ualach uirthi ar dhul chun na scoile di lá arna mhárach.

Ag geata na scoile féin, gan trácht ar a bheith istigh sa chlós go fiú, bhí Hilda agus a cuid scabhaitéirí ag fanacht. Tháinig siad chuig Úna nuair a chonaic siad ag teacht í. Sheasadar i bhfáinne timpeall uirthi.

"Éist, a straoillín," arsa Hilda léi, agus tharraing sí sonc sleamhain sceamhach faoi na heasnacha uirthi, "focal asatsa faoi seo agus tá deireadh leat - an dtuigeann tú sin?"

"Tuigim," arsa Úna, de ghlór fann.

"Níor chuala mé tú," arsa Hilda. "Ar chuala

sibhse í, a chailíní?" ar sí leis an gcuid eile.

"Níor chuala, a Hilda," ar siad as béal a chéile, agus rinne siad sciotaíl eatarthu féin.

Tharraing Hilda Úna chuici - greim bharr an chóta aici uirthi.

"An gcloiseann tú é sin, a Ghearaltaigh? Níor chuala na cailíní deasa seo tú," agus tharraing Hilda sonc eile sna heasnacha ar an gcailín óg. "Anois an dtuigeann tú?" ar sí.

"Tuigim, tuigim," arsa Úna, agus í ag iarraidh a bheith chomh glórach agus a shásódh Hilda.

Leis sin, buaileadh clog na scoile agus scaip an drong.

I lár an cheachta Mhatamaitice a bhí Úna. Bhí géaruilleannacha agus maoluilleannacha, hiopatanúis agus araile ina meascán mearaí ina hintinn. D'airigh sí faoi bhun na neasnacha. Bhí an phian go dona. Shíl sí, b'fhéidir, go raibh ceann nó dhó díobh briste. Bhí sí ag cíoradh na hintinne, ag iarraidh déanamh amach céard a dhéanfadh sí. Ba léir di cheana féin an rud ceart a bhí le déanamh. Ach, ní hionann ceart agus cumas!

'Ba chóir dom dul chuig an bPríomhoide,' ar sí léi féin arís agus arís eile. Bhí a fhios aici gur ag dul in olcas a bheadh an scéal ar feadh an ama. Ó, dá mbeadh sé de mhisneach aici! B'fhéidir go sceithfeadh duine éigin eile é, shíl sí. Ach, ní raibh aon 'duine éigin eile' ann. Bhí sí ag lorg treorach gan treoir a iarraidh.

"Déan anois é," arsa an t-oide ag barr an ranga. Ag tagairt d'ábhar an cheachta Mhatamaitice a bhí sí. Bhris an chaint isteach i dtoirnéis intinn Úna.

Saighead dearfa i lár na héiginnteachta. An é gur bealach é - ag Dia, b'fhéidir - chun í a threorú ar bhóthar a leasa? Dhéanfadh sí an rud a thuig sí a bheith ceart. Dhéanfadh sí é. D'éirigh sí agus shiúil go dtí doras an tseomra. Amach léi, síos an pasáiste, síos an staighre gur sheas sí ag doras na hoifige.

Sheas sí os comhair an dorais. Bhí a lámh crochta aici, í ar tí cnag a bhualadh ar an doras nuair a chuala sí uaithi í: "Á, á! Úna!!"

Chas Úna thart. Hilda agus beirt dá comrádaithe a bhí ann. Bhí siad ina seasamh ag seomra na gcótaí, díreach trasna ó dhoras na hoifige. Súile Úna agus súile Hilda mar a bheidis faoi bhriocht ag a chéile. Bhí Hilda ag iarraidh í a smachtú lena súile liatha fuara. Tháinig creathán i liopa íochtair Úna agus leath meangadh ar bhéal Hilda.

"'Úna!" arsa Bergin arís, agus dhaingnigh sí a stánadh. Tháinig samhail de dhorn Hilda á radadh sna heasnacha uirthi chuig Úna. Bhreathnaigh sí ar Hilda. Dhaingnigh Úna a béal an babhta seo agus thug faoi deara anois go raibh meangadh Hilda ag maolú. Meangadh Hilda, bulaí na scoile, ag maolú? Bhuail Úna trí chnag ar dhoras na hoifige.

"Tar isteach," arsa Bean Mhic Dhonncha istigh...

21

fuadach

Fuadach

"Times! Lá breá," arsa fear díolta na nuachtán a sheasann ag stáisiún traenach Dhún Laoghaire. Síneann Niamh an cúig pingine is ceithre scór chuige. Tá seanaithne acu ar a chéile faoi seo, cé nach mbíonn riamh eatarthu ach an dornán beag focal. Roinnt laethanta roimhe sin d'fhiafraigh sé di cén leagan Gaeilge a bhí ar an bhfocal 'change'. 'Sóinseáil' a dúirt sí leis ach chuile mhaidin ó shin i leith, tharla go raibh an t-ochtó cúig pingine go baileach ina glac aici. Bhí an diabhal bocht fiáin ag iarraidh an focal nua sin a úsáid.

"Traein chugainn," ar sí, agus airíonn sí tormán na traenach ag gabháil faoin droichidín, ag cur creatháin tríd an stroighean agus aníos trí sin isteach ina corp féin. Ritheann sí léi na coiscéimeanna síos, an Irish Times á fháscadh faoina hascaill aici agus a cárta míosúil á chroitheadh le fear na dticéad aici.

Tá an Dart mar a bhíonn an Dart an tráth sin den mhaidin: plódaithe; dubh le daoine; neart suíochán ann ceart go leor ach, faraor, tóin ar chuile cheann díobh cheana féin. Seasann Niamh ar thaobh na mara den charráiste agus, díreach sula ngluaiseann an traein ar aghaidh, beireann sí greim ar an gcuaille

25

cróim. Bronnann doircheacht spéire na maidneacha geimhridh seo áilleacht dá cuid féin ar an bhfarraige amuigh. Rian beag airgid ar an uisce anseo is ansiúd, áit a mbriseann solas na maidine trí na néalta troma dubha. Thall, ar an taobh eile den chuan, tá soilse sráide Bhóthar Bhinn Éadair ar lasadh fós.

"Gabh mo leithscéal," arsa an fear atá taobh léi. De thimpiste, tá a lámh tar éis lámh Niamh a fháscadh beagán nuair a leag sé í ar an gcuaille. Breathnaíonn sí air, déanann meangadh beag gáire agus breathnaíonn arís ar an gcuaille. Tá lámhainn dhonn leathair ar lámh an fhir - cuma chostasach uirthi mar bhall éadaigh. Casann sí a súile, déanann iad a chúinniú agus feiceann go bhfuil cóta crombaí crón-donn air. Suas píosa: hata cromdhuilleach atá ar aon dath leis na lámhainní agus banda sróil timpeall air a dhéanann comhlánú ar dhath an chóta.

Tarraingt tobann agus tá an traein ina stad. Féachann Niamh amach i dtreo an ardáin. An Charraig Dhubh cheana féin! Níor thug sí stopanna Chnoc an tSalainn nó Rinn na Mara faoi deara go fiú. Drogall na maidine is dócha!

Tá brú breise anois sa charráiste. Shíl sí tráth nach dtarlaíodh a leithéid ach i gCathair Tóiceó nó i Nua Eabhrac agus cathracha dá sórt. Fear eile trasna uaithi anois, é feistithe ar an mbealach ceannann céanna leis an gcéad fhear. Níl de dhifríocht eatarthu ach gur dúghorm atá an cóta atá á chaitheamh ag an duine seo seachas donn. Boladh láidir muisc ó dhuine den bheirt. Cé acu? Is cuma, dáiríre, ach tá sé taitneamhach.

Baile an Bhóthair - stáisiún cumhachta na Rinne le

feiceáil anois. Ansin sraith de thithe ag teacht salach ar an radharc. Stop eile: Paráid Shidní. Exodus beag, ach ar a laghad an oiread céanna arís ag teacht ar bord.

Dumhach Thrá... Bóthar Lansdúin... Stáisiún na bPiarsach: faoiseamh mór, ach tagann an faoiseamh i gcónaí ag an am a mbíonn Niamh á réiteach féin chun an DART a fhágáil. Sráid Teamhrach - amach léi. Breathnaíonn ar a huaireadóir: 8.25. a.m.: neart ama. Glacfaidh sí caife sa bhistro beag úd taobh le Halla na Saoirse.

Síos staighre an stáisiúin léi. Tá an fear mór donnfheistithe os a comhair agus tá Niamh mífhoighneach, ag iarraidh a slí a fheiceáil roimpi. An fear eile ar a cúl i nganfhios di. Míshuaimhneas éigin ar Niamh: í ag iarraidh éalú ón easpa compoird a d'airigh sí ar bord na traenach, ach bac éigin uirthi fós. Amach tríd an ionad seiceála agus tá oscailteacht fhorsheomra an stáisiúin roimpi. Buíochas le Dia. Aer úr, soilsiú, spás.

Seasann sí ar chiumhais an chosáin. An feairín beag dearg ag soilse na gcoisithe ag breathnú uirthi; ag cur fainic uirthi fanacht mar atá nó go gcasann sé ina ghlas. Niamh díreach ar tí an cosán a fhágáil nuair a bheirtear uirthi faoin dá uilleann agus scuabtar de rúid isteach i gcarr mór galánta í atá díreach tar éis stopadh i lár an bhóthair. Tarlaíonn sé chomh sciobtha sin is nach dtuigeann sí i gceart go bhfuil sé ag tarlú ar chor ar bith.

Sa suíochán cúil anois di. Breathnaíonn chaon taobh di: an bheirt fhear a bhí sa traein léi. Chun tosaigh, tá beirt eile - iad mórán ar cóimhéid leis an gcéad bheirt agus gléasta mar iad chomh maith. Níl spás go fiú ag Niamh chun cur ina gcoinne, tá sí chomh fáiscthe sin idir an bheirt seo ar chúl. An ceathrar fear ag breathnú amach díreach os a gcomhair, gan focal astu. Tá mearbhall uirthi. Cheapfá gur rud é atá lasmuigh di, amhail is dá mbeadh sí ag breathnú air seo agus é ag tarlú do dhuine éigin eile. Tá sí fós ag iarraidh ciall a dhéanamh den mhéid atá ag tarlú. Leis sin: tuiscint. Scréach.

"Lig amach mé, lig amach mé; ta mé..."

Sleamhnaíonn lámh thar ghualainn Niamh anois, ansin thar a béal. Tá blas na lámhainne leathair goirt ina béal. Baol ann ar feadh soicind nó dhó go dtiocfaidh fonn múisce uirthi leis an mblas. Go tobann, scréachann an carr ar aghaidh. Ní fheiceann Niamh ach coisithe ag léim i ngach treo agus iad ag iarraidh an dainséar a sheachaint. Na soilse leo ag Droichead Uí Chonaill agus ar aghaidh leo thar Virgin agus i dtreo príomhbhealach an Iarthair. Boladh láidir arís. Ní hé boladh séimh muisc anois é ach rud níos láidre, níos géire, níos gáirsiúla ar bhealach éigin. Feiceann sí lámh eile ag teacht aníos... agus éadach bán. Tagann an boladh níos gaire di agus, i bhfaiteadh na súl, tá an t-éadach fáiscthe lena srón agus lán an bholaidh ag cúrsáil aníos trí pholláirí Niamh. Sórt scamall liath ag teacht ar chuile shórt anois agus ansin an uile ní dorcha.

*   *   *

'Tá fiosrú á dhéanamh ag na Gardaí i dtaobh fhuadach Niamh Ní Bhroin, an bhean óg a fuadaíodh lasmuigh de Stáisiún DART Shráid Teamhrach maidin inné. Iarrtar ar éinne a bhí sa cheantar idir 8.15 a.m. agus 8.35 a.m. agus a chonaic aon ní neamhghnách ag tarlú, teagmháil a dhéanamh leis na Gardaí ag...'

"Múch an diabhal raidió sin. Ní theastaíonn uaim go mbeadh a fhios aici sin dada," a deir duine den cheathrar fear.

Tá doras an tseomra ina bhfuil Niamh faoi choinneáil ar leathoscailt agus tá Niamh in ann imlíne an fhir a fheiceáil in aghaidh sholas íseal na maidine, atá anois ag síothlú trí chuirtíní éadroma na cistine.

"Fuist," arsa mo dhuine. " D'fhéadfadh sí dúiseacht am ar bith agus gan a fhios againne dada faoi."

Dá mbeadh a fhios aige go raibh Niamh ina dúiseacht le breis agus uair an chloig anois, ní bheadh leath an mhéid a dúirt sé ráite aige ar chor ar bith. Tá tinneas cinn uirthi agus tá sí fós in ann boladh an chlórafoirm a fháil, áit ar sileadh cuid de ar a blús. An ceathrú milliún punt seo ar chuala sí na fir ag caint air ar ball beag. Níl a fhios aici an mbeadh a leasathair sásta an méid sin a íoc uirthi. Go deimhin, níl a fhios aici an mbeadh sé sásta rud ar bith a íoc. Ní fhéadfadh Niamh riamh a thuiscint céard a thug ar a máthair é a phósadh. Níor dhada é i gcomparáid lena hathair - fear caoin séimh. Ní raibh de chosúlacht idir an bheirt ach gur ag plé le hinstitiúidí airgeadais a bhí siad. Faraor gan marbh é an té atá beo agus beo é siúd atá marbh, a shíleann Niamh dí féin.

Tá ciúnas anois ann ó múchadh an raidió. De réir a chéile, tugann cluasa Niamh aird ar cheiliúradh na n-éan atá ar siúl lasmuigh. Níl aon fhuaim tráchta ann ar chor ar bith. Géimneach bó le cloisteáil anois is arís agus grágaíl asail ó am go chéile. Áit éigin faoin tuath, tá sí cinnte de. Fonn uirthi breathnú amach an fhuinneog ach tá sí ceangailte den chathaoir. Anois go gcuimhníonn sí ar an gceangal, airíonn sí a rostaí tinn. Ba dheas é dá bhféadfaí an rópa a scaoileadh beagán beag. Ba mhaith léi béic a ligean ach tá glas béil uirthi. Cloistear carr lasmuigh. Rothaí móra troma ag meilt an ghairbhéil faoi na boinn. Oscailt agus dúnadh dorais. Geonaíl aisteach ón inneall anois agus é stoptha. Siúl i dtreo an tí: bróga bonn leathair, síleann Niamh. Aithníonn sí cruas an leathair in aghaidh na gcloichíní seachas boige rubair. Cód-chnag ar dhoras agus isteach leis. Caint íseal le cloisteáil sa chistin anois. Deacair ar Niamh aon chiall a bhaint as a bhfuil á rá ar dtús ach, de réir a chéile, téann a cluasa i dtiúin le focal anseo is ansiúd...

'Seomra cúil' - 'codladh' - 'gan tuairim' - 'árachas' tríd an ngiob geab.

Déanann Niamh iarracht an chathaoir a bhogadh i dtreo an dorais. Scríobann na cosa in aghaidh leicíní an urláir agus déanann fuaim ard stríocála. Stopann sí. Stopann an chaint lasmuigh chomh maith. Cloiseann sí duine éigin ag déanamh ar an doras. Osclaítear, agus tá duine de na fuadaitheoirí ina sheasamh idir an dá ursain. Imlíne an tsolais timpeall ar a cholainn. Coinníonn Niamh a súile dírithe ar an talamh. Cúlaíonn an fuadaitheoir agus druideann an doras. Lena linn sin ardaíonn Niamh na súile agus faigheann gearrfhéachaint ar chás gnó fíondearg atá ina sheasamh ar an urlár amuigh. Cnaipí órga ar na coirnéil mar chosaint in aghaidh bhualadh i gcoinne troscáin agus araile. Dúnta. Dorcha. An chaint in éag uirthi. Tar éis tamaill cloistear coisíocht ar an ngairbhéal arís. Inneall an chairr; cúlú agus imeacht.

Raidió arís sa chistin. Ceannlínte na nuachta fós eile. Aonghus Mac Grianna:

'Tá sé fógraithe anois ag na Gardaí gurb í Niamh Ní Bhroin an bhean óg a fuadaíodh lasmuigh de Stáisiún Traenach Shráid Teamhrach go luath maidin inné. Is iníon í Niamh leis an iar-bhaincéir Ultan Ó Broin, nach maireann, agus lena bhean Síle. Is leas-iníon í leis an gcomhairleoir airgeadais idirnáisiúnta, Réamonn Proictéir. Tá sé deimhnithe ag Oifig Eolais na nGardaí le leathuair an chloig anuas go bhfuil éileamh aon cheathrú milliún punt d'airgead fuascailte faighte ag an bProictéarach.'

'D'fhógair ceannaire an S.D.L.P. ar maidin go bhfuil...'

Imíonn na laethanta - ní fios do Niamh cé mhéid - trí, ceithre, cúig cinn díobh, b'fhéidir. Tá sí sa seomra cúil i gcónaí. Cúram leithris agus béilí an t-aon éagsúlacht ina saol. Níl aon chaidreamh aici leis na fuadaitheoirí ach go ndeirtear léi uair nó dhó go bhfuil cúrsaí ag dul de réir an phlean agus go gceapann siad go scaoilfear saor go luath í. Níl a fhios aici. Tá sí in amhras faoi chuile shórt. Cuimhníonn sí ar chásanna nár íocadh an t-airgead fuascailte iontu! Céard a tharlódh mura n-íocfaí é? Ballbhascadh! Marú, b'fhéidir!

Oíche an tséú nó an tseachtú lá - níl a fhios ag Niamh go cinnte. Soilse cairr le feiceáil ag scuabadh chuirtíní an tseomra ina bhfuil sí. Torann na mbonn ar ghairbhéal; múchadh innill agus an gheonaíl úd arís. Dordán trom cainte amuigh sa chistin athuair: róthrom, ródhomhain le go dtuigfí é. Clic laistí an cháis ghnó... an cás gnó fíondearg úd, is dócha! A thuilleadh cainte agus imíonn an cuairteoir leis. Tá an uile ní ciúin.

Am éigin i lár na hoíche chuala Niamh díoscán doras an tseomra. D'éalaigh maide gréine isteach tríd an oscailt agus, ina dhiaidh sin, tháinig beirt de na fuadaitheoirí, a scáthanna á dteilgean rompu. D'airigh Niamh contúirt chuici agus rinne iarracht ar scréach a ligean. Ach, ní fhéadfadh sí: an fáisceán úd de ghad... Ghortaigh an iarracht í. Faoin am ar shíl sí caoineadh a dhéanamh agus a raibh de phian uirthi bhí greim ag an mbeirt uirthi. Bhí sí in ann boladh an chlórafoirm a fháil arís. Rinne sí iarracht ar iad a throid ach ba shnámh in aghaidh easa é. Stróic duine den bheirt an fáisceán béil dá haghaidh agus bhrúigh an t-éadach leis na polláirí. Chúlaigh súile Niamh siar ina cloigeann agus dhamhsaigh buíocht an tsolais os a comhair nó gur chas sé ina dhubh.

Nuair a dhúisigh Niamh arís bhí sí faoi chúram dochtúra. D'aithin sí an timpeallacht - a seomra féin sa bhaile. A máthair i láthair agus a leasathair. Sos agus ciúnas a moladh di sula labhródh sí leis na Gardaí. B'fhearr na páipéir nuachta a choinneáil amach uaithi freisin, a mhol an dochtúir.

In imeacht ama d'inis Niamh an méid a d'fhéadfadh sí do na Gardaí. Ba bheag ar fad é, dáiríre, seachas a raibh de chuimhne aici ar chur síos ar fheisteas na bhfear a bhí taobh léi ar an traein.

Dúradh léi gur íocadh an t-airgead a bhí á éileamh ag na fuadaitheoirí - £250,000. Tharla go raibh clúdach árachais don mhéid sin ag a leasathair ar bhaill an teaghlaigh, rud, is cosúil, nach bhfuil neamhghnách ina measc siúd atá ag plé le hairgeadas idirnáisiúnta. Bhí baol i gcónaí ann go bhfuadófaí a leithéidí. Agus tháinig an comhlacht árachais ar aghaidh gan mhoill toisc an phráinn a bhain leis an scéal. Bhí sí ródhian ar a leasathair, shíl sí.

*   *   *

Lá Earraigh i ndeireadh Feabhra. Sé seachtainí imithe cheana féin ó tharla an eachtra uafásach úd do Niamh. Maidin an tSathairn atá ann. Tá Niamh sínte ar tholg an tseomra suí agus an chóip is deireanaí de *Hello* á léamh aici. Tá a máthair ag deifriú thart ag cuardach a mála a fhad agus atá an carr á thógáil as an ngaráiste ag a leasathair. Niamh sáite in alt faoi dheacrachtaí George Michael lena chomhlacht taifeadta, Sony International, nuair a chloiseann sí Saab a leasathar ar aghaidh an tí amach. Stoptar an t-inneall - geonaíl aisteach i ndiaidh a mhúchta!

Go tobann, tagann bior ar shúile Niamh. Ansin reo ar a colainn. Agus, ina dhiaidh sin arís, creathán trí gach ball dá corp. Ardaíonn sí a cloigeann go mall scáfar thar chúl an toilg agus feiceann a máthair ag léim isteach i suíochán an phaisinéara sa charr. Casadh eochrach, brúchtaíl innill agus ar aghaidh i dtreo an gheata leis an Saab. Tá reo arís ar Niamh; geonaíl úd an innill mar dhordán ina cluasa de shíor; faitíos uirthi casadh thart ar eagla duine a bheith ann. Tagann cuimhne an dorchadais chuici; is beag nach féidir léi boladh an chlórafoirm a aireachtáil ina polláirí. Ní féidir, ní féidir, a deir sí léi féin.

Luíonn Niamh socair ar an tolg ar feadh scaithimh eile. Smaoineamh i ndiaidh smaoinimh ag cúrsáil trína cloigeann. Soilse cairr i lár na hoíche. Meilt an ghairbhéil. Geonaíl innill. Cruas na mbonn leathair in aghaidh na gcloichíní. Cód-chnag ar dhoras. Caint os íseal sa chistin. Cnaipí órga an cháis ghnó. An cás gnó. An cás gnó... Leathann ar a súile anois agus airíonn sí fuadar fána croí. An cás gnó!

Músclaíonn sí a misneach agus casann thart: níl éinne ann. Éiríonn sí agus téann amach sa halla, suas an staighre agus isteach i seomra a máthar agus a leasathar. Druideann sí i dtreo fhoshheomra - cófra mór de shórt - ina gcoinnítear na málaí taistil agus araile; leagann sí lámh ar mhurlán an dorais agus stopann. An cóir di é seo a dhéanamh, a fhiafraíonn sí di féin. Níl a fhios aici nárbh fhearr di é a fhágáil. Samhlaíonn sí boladh an chlórafoirm á plúchadh arís agus, leis sin, casann sí an murlán.

Istigh san fhosheomra tá málaí agus cásanna de gach sórt, idir thaistil agus ghnó. Seanchásanna gnó de chuid a hathar ann agus roinnt eile ar leis an bProictéarach iad. Carn díobh ar bharr a chéile. Leagann sí méar ar bharr an chairn agus bogann síos go mall, cás ar chás: liath, dubh, donn, donnbhuí... Leis sin, cloiseann sí geonaíl innill lasmuigh. Deifríonn sí chun na fuinneoige. A Thiarcais Dia - a leasathair! É ina aonar. Céard sa diabhal a thug ar ais chomh luath seo é? Ar ais go beo go dtí doras an fhosheomra léi agus dúnann. An croí ag preabadh ar nós an diabhail inti. Doras an tí á oscailt thíos agus isteach leis an bProictéarach.

"Mé féin atá ann, a Niamh. D'fhágas mo thiachóg airgid cois na leapa," ar seisean. I dtreo an tseomra suí a dúradh é seo - é ag ceapadh gurb ann do Niamh i gcónaí.

Niamh ar an bhfón anois sa seomra codlata. 999 glaoite aici cheana féin agus idir sheoladh agus ainm tugtha. Síos leis an bhfón sa chliabhán. An croí ina béal aici i gcónaí. É féin leath bealaigh suas an staighre faoi seo; é ag druidim leis an léibheann nuair a osclaíonn Niamh doras an tseomra chodlata Stopann siad beirt agus breathnaíonn ar a chéile. Rith na sceimhle i súile Niamh; fuaire i súile seisean. Niamh righin le teann faitís agus í ag breathnú air.

"Niamh!" a deir an Proictéarach.

Cuma dhéistineach anois air, dar le Niamh. Cuma dhainséarach, b'fhéidir.

Go tobann, bogann sé ar aghaidh go dtí an léibheann ach, nuair a dhéanann sé sin, cúlaíonn Niamh de rúid isteach sa seomra codlata arís agus brúann an doras amach air. Éiríonn léi an eochair a chasadh sula dtagann sé fad leis an doras.

"Niamh," a deir sé - é réasúnta, mar dhea. Cúlaíonn Niamh ón doras. Feiceann sí an murlán á chasadh aige.

"Niamh," ar sé arís, agus casadh ní ba fhuinniúla fós á dhéanamh ar an murlán aige.

Tá Niamh ar an bhfón arís, na súile uirthi ag babhtáil idir murlán an dorais agus an trí naoi atá á ndialiú fós eile aici. Sileadh allais, ar na méara go fiú. Casadh fraochta ar an murlán anois agus buille gualainne ar an doras ag mo dhuine a chuireann air léim de na hinsí, nach mór.

"Niamh, Niamh" go fraochta aige. An scéin ag méadú ina súile.

"Oscail an doras, a Niamh, nó is duitse is measa!"

Caitheann Niamh gléas láimhe an teileafóin uaithi agus deifríonn i dtreo an dorais lena bhriseadh isteach a stopadh. Agus í ag druidim leis an doras, buailtear an dara ropadh air agus tá éirithe leis an bProictéarach an glas a bhriseadh.

Cúlaíonn Niamh arís. An Proictéarach ina sheasamh go bagrach idir an dá ursain. Idir dhainséar agus mhailís go hard sna súile air. Níl de rogha anois aige ach an t-aon chúrsa amháin a ghlacadh. Tagann sé ar aghaidh agus cúlaíonn Niamh a thuilleadh uaidh - í ina stangaire le teann eagla aige. Gan choinne leis, teagmhaíonn cúl na nglún den leaba agus titeann Niamh siar air. Leis sin, preabann an Proictéarach ar aghaidh agus tagann anuas go trom uirthi. An dá lámh fáiscthe go docht thart fána muineál aige agus an greim á dhaingniú i gcónaí aige. Tá an dá ordóg á mbrú go tréan in aghaidh a scornaí aige agus níl sé de neart ag Niamh é a throid. An aithne isteach is amach uirthi anois: aghaidh an Phroictéirigh ina hainriocht os a cionn - é scamallach, in anchuma, gránna thar mar b'fhacthas riamh di é. Í díreach ar tí dul faoi nuair a chloiseann sí bonnán charr na nGardaí ag druidim leis an teach. Nó an á shamhlú sin atá sí? Go tobann, laghdaíonn an Proictéarach ar an bhfáscadh agus anois is léire fós do Niamh í fuaim an bhonnáin. Torann an dorais thíos á bhriseadh isteach agus trup na gcos le cloisteáil ar an staighre aníos...

ugach

Ugach

I gcuimhne ar chrógacht agus ar mhisneach mo chara,Veronique Mernier, a bhásaigh den ghalar SEIF i mí Eanáir 1991.

Luigh sé ar a dhroim agus d'amharc sé ar an tsíleáil. Thaitin dath séadghlas na péinte leis, bíodh is gur faoi shíleáil theach seo na n-easlán a bhí sé. Dath séimh. Bhí sé ag déanamh iontais de gur thaitin sé leis - is dath é a mbíodh an dearg-ghráin aige air beagán de bhlianta ó shín. Is aisteach, shíl sé, mar a athraíonn do dhearcadh in am an ghátair; faoi mar is mór leat rud nuair atá an baol ann go dtógfaí uait é. Agus, faoin am seo, bhí rud amháin cinnte, is é sin go dtógfaí sin uaidh -an dath séadghlas, an bán, an buí, an dearg - chuile dhiabhail datha; chuile shórt ar fad. An bás. Trí mhí, b'fhéidir; trí seachtainí, trí lá - ní fhéadfaidís a rá le cinnteacht. Ní raibh de chinnteacht ann ach go dtarlódh sé luath nó mall.

Bhí aghaidheanna ar cuairt chuige ó am go chéile - a dteacht ag brath ar cén leagan intinne a bhí ar Éamonn ó thráth go chéile. Rock Hudson, Magic Johnson, Freddie Mercury, Arthur Ashe. Daoine mór le rá; daoine a raibh rud mór éigin bainte amach ina saol acu; daoine a raibh a n-ainmneacha i mbéal an phobail ar fud an domhain. Ach eisean, Éamonn Ó Ceallaigh, nach bhfuair seans a cháil féin a bhaint amach go fóill! Cén fáth eisean? In aois naoi mbliana déag! Cén teachtaireacht, cén ghaois, cén chomhairle a bheadh le fágáil aigesean don saol? Cén fainic a chuirfeadh seisean ar an saol maidir le SEIF? Cé a bhacfadh lena mbeadh le rá aige?

Rinne sé fáinne airgid an Chladaigh a bhí á chaitheamh ar a chorrmhéar aige a chuimilt lena ordóg. Bhí sé in ann imlíne na méar agus an chroí san airgead a aimsiú le hionga na hordóige. Dhúisigh sé a chuimhne - siar go dtí an lá ar goideadh an fáinne: an lá a rinneadar an briseadh isteach ar shiopa an tseodóra. Ní raibh sé riamh i gceist go ngortófaí éinne. A mhalairt ar fad a bheadh i gceist, shíl siad: isteach agus amach, tóg a bhfuil ann agus fág lucht an tsiopa faoi ghlas sa seomra cúil. Teoiric!

Teoiric nár oibrigh, mar a tharla. Teoiric nár thug aird dá laghad ar an bpraiticiúlacht. Cén diabhal a bhí ar úinéir na háite go ndearna sé iarracht ar iad a stopadh? Céard a tháinig air ar chor ar bith? Shílfeá go bhféadfadh sé an rud ciallmhar a dhéanamh, dul siar sa seomra agus fanacht ciúin leis an gcuid eile den fhoireann oibre. Ní raibh sé sa phlean acu go dtabharfadh an t-úinéir ruathar fúthu. Ní raibh sé sa phlean.

Chuimhnigh Éamonn anois ar aghaidh an úinéara. Ní raibh sé sa phlean ach an oiread go ndéanfaí é a shá. Gníomh gan smaoineamh a bhí ann. Shamhlaigh sé aghaidh an úinéara - a bhéal ar oscailt, na súile ar bior, an t-éadan ag athrú ón dearg go liathbhán. Ní raibh sin sa phlean ar chor ar bith. Agus an fhuil! Fuil an úinéara! Chuimil Éamonn a dhá lámh ar a chéile anois, é ag iarraidh cuimhne na fola a ghlanadh díobh. Deirge na fola sin. Glaineacht na fola sin. Glaineacht! I bhfad níos glaine ná fuil Éamoinn ag an bpointe seo. Fuil ghlan láidir neamhthruaillithe.

"A Éamoinn, a Éamoinn! Ghlaoigh do mháthair chun a rá go mbeadh sí ar cuairt chugat ar ball. Beidh sí beagáinín beag déanach inniu."

Bhris caint seo na banaltra isteach ar chuimhní Éamoinn. D'ardaigh sé a chloigeann le breathnú i dtreo an dorais, áit a raibh sí ina seasamh.

"Do mháthair, a Éamoinn. Dúirt sí go mbeadh sí anseo ar ball."

Chroith Éamonn a chloigeann. Thuig an bhanaltra gur chomhartha buíochais uaidh é. Bhí sé deacair air aon chaint a dhéanamh anois; é dian ar an traicé; pianmhar. D'ainneoin sin, bhí an-fháilte roimh chuairteoirí aige - líne cheangail leis an saol lasmuigh. Agus, go fiú má bhí an chaint róphianmhar air anois, bhí an éisteacht aige i gcónaí. Sea, bhí fáilte aige roimh chuairteanna a mháthar. Níorbh ionann é seo agus an tréimhse a chaith sé in Institiúid Naomh Pádraig.

Institiúid Naomh Pádraig! Bliain a chuir sé de ann is gan é ach sé bliana déag d'aois. Dhá chuairt in aghaidh na seachtaine a ceadaíodh dó i ndiaidh na robála. Ansin, fuarthas amach go raibh sé HIV Dearfach agus níor theastaigh uaidh aon chuairteoir a fheiceáil ar chor ar bith. Bail ó Dhia ar a mháthair!

Bean iontach! Lean sí uirthi ag teacht, go fiú nuair a dhiúltaigh sé í a fheiceáil.

B'in trí bliana ó shin. Anois, agus an SEIF ina lánbheatha ina cholainn, bhí sé buíoch as a dílseacht dó. Ní raibh lá ann nár tháinig sí. B'fhearr i bhfad mar áit é teach seo na n-easlán ná an príosún. D'fhanadh sí tamall fada leis gach lá. Go deimhin, bhí laethanta ann agus thagadh sí faoi dhó, maidin agus tráthnóna. B'in dílseacht agat! B'in grá!

Grá! Fáinne an Chladaigh! D'airigh sé imlíne an chroí le hionga na hordóige athuair. Grá. Ba dheas mar smaoineamh é - an croí á chumhdach i dteas na lámh; sábháilteacht na lámh; lámha máithriúla.

B'aisteach é, ach ní raibh aon trioblóid air a thuilleadh, seachas an smaoineamh seo nach raibh rud ar bith le fágáil ina dhiaidh aige. Ní raibh ann ach fanacht. Ó am go chéile thagadh ceisteanna chuige a bhí ró-mhór dó; ceisteanna nach bhféadfadh sé a fhreagairt; ceisteanna a tháinig chuige ó áiteanna nár thuig sé; áiteanna nach raibh de thaithí aige orthu le go bhféadfadh sé iad a fhreagairt. Chuir sé uaidh iad. Ní cheadódh sé dóibh an meon a chur trína chéile air.

Ach an cheist seo faoi céard a d'fhágfadh sé ina dhiaidh! Cén chomhairle? Cén ghaois? Bhí a fhios aige gur ceist í sin a d'fhéadfadh sé a ríomh; gur ceist í a d'fhéadfadh sé a fhreagairt. Bhí sé tábhachtach dó é a fhreagairt. Tháinig na héadain úd ar cuairt arís chuige. Mercury, Johnson, Hudson, Ashe. Bhí sé mar a bheidis ar roithleán chuige; ag tabhairt cuireadh dó a éadan féin a chur ina measc; ag iarraidh air a theachtaireacht a chur in éineacht lena dteachtaireachtaí féin. Smaoinigh sé... bhí spórt, nó ceol, nó rud éigin ag gach aon díobh mar bhunús lena dteachtaireacht a thabhairt. Aigesean! - Dada. Dada, a shíl sé. Ruaig sé na haghaidheanna as a chuimhne arís, ach bhí a fhios aige go mbeidis ar ais arís chuige ar ball beag.

D'fhan sé socair ar feadh scaithimh. Bhí a intinn socair anois go fiú; gan smaoineamh, gan chorraíl, gan go fiú na haghaidheanna úd ag taibhsiú isteach agus amach ann. Séadghlas na síleála arís. Ciúine an datha. B'aoibhinn leis anois é tar éis chith na smaointe. Ciúnas. Ach nuair is rófhada leat an ciúnas, teastaíonn tormán uait arís. Tormán intinne go fiú. An chomhairle! An teachtaireacht! Dá dtiocfadh sí, cén chaoi a gcuirfeadh sé in iúl í? Cén chaoi a bhfágfadh sé a theachtaireacht ina dhiaidh? Chuimil sé an fáinne go fraochta lena ionga: d'airigh sé an croí, na lámha faoi, an choróin ar a bharr. D'airigh sé go raibh sé gar don tuiscint. Ceist ama, ceist nóiméid, ceist soicind!

Go tobann, tháinig leathnú ar a shúile. Bhí an tuiscint chuige. Shín sé a lámh dheas siar i dtreo chlár cinn na leapa. D'airigh sé na ráillí fuara miotalacha. Bhí an lámh ar bharra éigin i lár na sraithe. Bhog sé amach, barra ar bharra, nó gur tháinig sé ag ceann a bhí níos tibhe ná an chuid eile. Suas an barra tiubh leis nó gur aimsigh sé an cloigín, agus bhrúigh. D'ísligh sé a lámh arís agus d'fhan ar an mbanaltra.

Tar éis leathnóiméid, nóiméid, deich nóiméad, b'fhéidir - ní fhéadfadh fios a bheith aige - tháinig sí. "Bhuel, a Éamoinn, an raibh tú ag brú ar an gcloigín?"

Ba léir di óna dhreach go raibh.

"Agus céard tá uait, a chroí?" ar sí. Bhí sí séimh. Súile geala uirthi ar cóir dath an tséadghlais a bheith orthu, shíl sé.

"Céard tá uait, a Éamoinn? Deoch, an ea?"

Níorbh ea.

"Céard é féin, a Éamoinn?" ar sí.

Bhí liopaí Éamoinn ar crith. Bhí smaoineamh na cainte pianmhar air, go fiú. Theastaigh uaidh é féin a mhíniú in aon iarracht cainte amháin. Thug an bhanaltra réiteach na liopaí faoi deara. Thuig sí gur iarracht cainte a bheadh ann. Chrom sí agus chuir a cluas lena bhéal.

"Pp...Ppp...Pppp...!" Stop sé. D'airigh sé an phian sa phíobán ina mhuineál. D'fháisc an bhanaltra a ghualainn agus chuimil siar na dlaoithe éadroma gruaige a shín anuas ar a chlár éadain. D'airigh sí na mirlíní beaga allais ag éirí ar a bhaithis anois.

"Ó, tá brón orm, a Éamoinn, a stór," ar sí. "An bhfuil tú in ann iarracht bheag amháin eile a dhéanamh? Aon iarraichtín beag amháin eile."

D'fháisc Éamonn a shúile agus d'oscail arís. Bhí loinnir iontu fós. Dhéanfadh sé an dara hiarracht. Arís, d'airigh sé an phian ag teacht sa phíobán comhuaineach le smaoineamh na cainte. Éireoidh liom, éireoidh liom, a dúirt sé ina intinn. Bhí na liopaí ar crith arís; an bhanaltra ag feitheamh, í dírithe ar chiall a dhéanamh de an uair seo.

"Pp...Ppp...Peann agus..." agus theip arís air.

Dhún sé a bhéal agus d'airigh an píobán á chúngú féin arís. D'fháisc an bhanaltra a ghualainn den dara huair.

"Peann, a Éamoinn, an ea?" ar sí.

Chroith sé a chloigeann beagán.

"Peann agus rud éigin eile, an ea?"

Chroith sé arís.

"Céard eile?" ar sí. "Páipéar, is dócha? An ea, a Éamoinn? Peann agus páipéar?"

Leath meangadh ar bhéal Éamoinn agus bhí gáire sna súile air.

D'imigh an bhanaltra agus d'fhill arís leis an bpeann agus le leabhrán beag nótaí. Ar an mbealach ar ais di is ea rith sé léi go mbeadh a thuilleadh iarrachta i gceist; a thuilleadh péine: ní raibh dóthain smachta i lámha Éamoinn chun scríobh ar bith a dhéanamh. Bheadh air é a fhuaimniú di. Dhruid sí isteach in aice leis.

"Anois, a Éamoinn, céard a theastaíonn uait a rá?" ar sí, agus chrom sí.

Réitigh Éamonn é féin athuair. Creathán sna liopaí; loinnir sna súile; ingne fáiscthe le tocht na leapa. Bhí sé spíonta go maith ag an gcéad dá iarracht. D'ardaigh sé a chloigeann den philiúr.

"Teach...Teachtai...reacht...," ar sé, agus luigh sé siar arís.

"Teacht, an ea, Éamoinn? Teachtacht?" ar sí a luaithe agus a thuig sí nach 'teacht' a bhí ann. Ach thuig sí uaidh nár 'teachtacht' ach an oiread é. Arae, nuair a chuimhnigh sí air, ní fhéadfadh sí féin aon chiall a bhaint as 'teachtacht'.

Bhí frustrachas le feiceáil ar éadan Éamoinn. Méid na hiarrachta agus gan dada as! Smaoinigh an bhanaltra. Bhí sí ag cíoradh a haigne ag iarraidh focail a bhí cosúil le 'teachtacht' a aimsiú. Leis sin, tháinig sé chuici.

"Teachtaireacht, a Éamoinn! An ea? Teachtaireacht!"

Arís eile leath an meangadh úd ar bhéal Éamoinn. Bhí sé aici. Buíochas le Dia, bhí sé aici.

"Teachtaireacht!" ar sí. "Go maith. Agus cén teachtaireacht í, a Éamoinn?"

Mhaolaigh an meangadh a bhí ar bhéal Éamoinn. An frustrachas ina áit anois. Cén chaoi a gcuirfeadh sé in iúl di gurbh é 'teachtaireacht' an teachtaireacht? Ní raibh a fhios aige an raibh dóthain fuinnimh fágtha aige chun iarracht eile fós a dhéanamh.

"An bhfuil tú in ann an teachtaireacht a insint dom, a Éamoinn?" ar sí. Bhí sí caoin, cineálta. Ba stróiceadh croí di é an iarracht seo uaidh a fheiceáil.

Arís, cluas chun béil, liopaí ar crith, múscailt misnigh, agus...

"Teach...tracht," arsa Éamonn, agus thit sé siar leis an dara leath den fhocal. Chuir sé lámh leis an bpíobán agus thuig nach bhféadfadh sé iarracht eile a dhéanamh. Thuig an bhanaltra chomh maith é. Ní raibh a fhios aici ar cóir é a cheistiú a thuilleadh; a iarraidh air a mhéar a shíneadh i dtreo ar leith a chuideodh leis an tuiscint, nó céard ab fhearr le déanamh.

"Agus, a Éamoinn," ar sí, "céard í an teachtaireacht? An bhfuil tú in ann a insint dom leis na súile?"

Go mall, cinnte, theagmhaigh súile Éamoinn le súile na banaltra. Leag sé súil ansin ar an áit ina raibh 'teachtaireacht' scríofa ar an bpáipéar aici. Lean a súile féin go dtí an páipéar é. Ansin, bhreathnaigh sí ar Éamonn arís agus dhearc siad sa tsúil ar a chéile athuair. Arís, go mall, cinnte, d'ísligh Éamonn a shúile i dtreo an pháipéir agus lean súile na banaltra é. Bhreathnaigh siad ar a chéile arís, agus, ar bhealach teileapaiteach éigin, thuig sí ar deireadh gurbh é a bhí sa teachtaireacht ná an focal 'teachtaireacht' féin.

"Sin í an teachtaireacht, an ea, Éamoinn? An focal 'teachtaireacht' is ea an teachtaireacht, an ea?" ar sí.

Chuir sé air an gáire úd arís agus thuig an bhanaltra gurbh in é é. 'Teachtaireacht'.

Scríobh sí amach ar phíosa páipéir úir é agus chuir os comhair Éamoinn é.

"Teachtaireacht," ar sí. Agus leathnaigh ar an meangadh a bhí ar bhéal Éamoinn.

"Agus céard a dhéanfaidh mé leis?" a d'fhiafraigh an bhanaltra. Chas Éamonn a shúil i dtreo an chóifrín bhig leapa a bhí taobh leis.

"Ar bharr an chóifrín, a Éamoinn, an ea?"

Arís an gáire agus an loinnir ina shúile uaidh. Bhí sé buíoch di. Buíoch di lena shúile. Dhéanfadh sé codladh tamaillin, b'fhéidir, sula dtiocfadh a mháthair.

Bhí sé gar don trí a chlog an tráthnóna sin nuair a tháinig máthair Éamoinn. Ar bhealach éigin, bhí a fhios aici sular shiúil sí isteach sa seomra go raibh faoiseamh ag Éamonn ar deireadh; go raibh tráth na péine thart. Dhruid sí leis an leaba. Bhí éadan Éamoinn suaimhneach; é chomh bán leis an mbráillín féin. Fuar. Ach bhí meangadh na sástachta ar a bhéal. Sásta, b'fhéidir, go raibh an fhulaingt thart, ach sásta freisin gur éirigh leis, ar deireadh, teacht ar an ngaois, ar an gcomhairle, ar an teachtaireacht ar theastaigh uaidh a fhágáil ina dhiaidh.

Bhreathnaigh a mháthair ar an gcóifrín le hais na leapa agus, ar a bharr, bhí fáinne geal airgid an Chladaigh ina shuí ar bharr na bileoige ar ar scríobh an bhanaltra ar ball. Shuigh an choróin ar an gcroí; agus shuigh an croí i dteas na lámh; agus shuigh gach ceann díobh ar bharr na bileoige mar fhaisnéis ar ugach Éamoinn.

cinniúint

Cinniúint

Gan post. As obair. Dífhostaithe. Nár chuma sa diabhal céard a thabharfaí air, ba é an rud céanna é ar deireadh: bhí ar Sheán Ó Conghaile seasamh i scuaine an dóil chuile mhaidin Déardaoin chun an beagán a bhí ag dul dó a bhailiú.

Dhá mhí agus fiche a bhí imithe ó dúnadh an mhonarcha. Bhí geallúintí ag am a dúnta go n-osclófaí arís í in imeacht cúpla mí; bhí lucht an I.D.A. i mbun cainteanna le dreamanna éagsúla. Cinnte, ní rachadh sé thar an trí mhí. Bhuel, d'imigh, agus thar an sé agus an naoi mí. Idir an dá linn cuireadh deireadh leis an I.D.A. féin agus tháinig FORBAIRT ar an saol ina áit. Bhí sé níos gaire don dá bhliain anois, go deimhin, agus gan blas d'athoscailt i ndán don áit. Dhá mhí fichead! Ag titim as a chéile a bheadh an áit sula ndéanfaí dada leis.

Bhain Seán a lámh as a phóca agus d'fhéach ar an gcarnán beag airgid a bhí fáiscthe ann. Punt caoga trí. Drochrath air - ní raibh luach an phionta féin ann. Cén diabhal a bhí air nár chuir sé roinnt i dtaisce nuair a bhí airgead mór ag teacht mar liúntas dífhostaíochta chuige. An chéad sé mhí sin as obair dó, bhí sé ar mhuin na muice. Ach ansin, tháinig ísliú sa liúntas agus, in éineacht leis, tháinig tuiscint chuige go mb'fhéidir nach raibh bunús ar bith lena raibh á rá ag an I.D.A., nó FORBAIRT, nó cibé a thabharfaí orthu. Agus go deimhin, nár chuma céard a thabharfaí orthu. Nárbh é an dála céanna é, dáiríre! Caint, caint agus a thuilleadh cainte fós, agus gan dada eile ann ach sin. Ní bheathaíonn na briathra na bráithre; ní chuireann siad bróga ar pháiste scoile; ní íocfaidh siad an bille leictreachais a bhí gan íoc le dhá mhí anuas.

Tháinig meadhrán ar Sheán anois, bhí sé chomh fada sin ina sheasamh sa scuaine. Dá mbeadh a rogha arís aige ní rachadh sé isteach sa mhonarcha an chéad lá riamh. Garraíodóireacht! B'in é ab fhearr leis dáiríre. Sea, muise, dá mbeadh a rogha aige, sin é a dhéanfadh sé: garraíodóireacht. Bhí seans aige tráth - tamaillín sular thosaigh sé sa mhonarcha, ach ní raibh sé de chiall aige an deis a thapú. Airgead a mheall ag an am é. Bhí gar don dá oiread pá seachtaine le fáil sa mhonarcha. Dhá bhliain déag caite ag déanamh na gclár leictreonach úd do ríomhairí a dhíolfaí i bhfad agus i gcéin. Agus céard a bhí aige dá bharr? Dífhostaíocht. An bhochtaineacht. Crá croí agus crá intinne.

"Cén chaoi a bhfuil agat, a Sheáiní?" Duine d'iaroibrithe na monarchan a bhí ann. Bheadh a fhios ag Seán gurbh ea go fiú gan féachaint air, mar gur thug mo dhuine 'Seáiní' air. Ba sa mhonarcha a tugadh sin ar dtús air. Chas sé. Liam Mac Guidhir a bhí ann. Fear stórais sa mhonarcha ab ea é sular dúnadh é. B'fhearr le Seán nach gcasfaí air ar chor ar bith é. Níor dhuine é Liam a mbeadh mórán de thóir ag Seán air; duine a mbíodh *camastáil* éigin ar bun i gcónaí aige. Dá mba fhíor gach a dúradh faoi, bhí sé chomh cam le bóithrín tuaithe.

"Ara, a Liam!" arsa Seán. Ní raibh sé de chrógacht ann riamh an dearcadh fírinneach a bhí aige i dtaobh Liam a léiriú. "Muise, go dona," ar sé mar fhreagra ar an gceist a cuireadh air.

"Á, ná habair, *Man*!" arsa Liam, agus chroith sé na guaillí ar bhealach aisteach, rud ar nós leis a dhéanamh. 'Elvis' a thugtaí air sa mhonarcha i ngeall ar nós seo chroitheadh na nguaillí. É sin agus stíl na gruaige agus an cineál feistis a chaithfeadh sé. Níor athraigh sé a dhath ó shin ach an oiread. B'iúd ansin é, é gléasta go deismíneach, gan smál. Casóg tháilliúra bhándearg, léine bhán agus bríste liath, a raibh an smeacháinín is lú de bhándearg breactha tríd anseo agus ansiúd. Chun barr slachta ar fad a chur air, ní raibh de dhifríocht idir na bróga glioscarnacha paiteanta a bhí air agus duibhe na gruaige dea-chíortha ach gur leathar iad na bróga. Huth! Elvis ceart, *by dad*, a shíl Seán ina intinn féin.

"Cá bhfuil an t-aicsean agat na laethanta seo, *Man*?" a d'fhiafraigh Elvis. Bhí an nós seo aige a chuid Gaeilge a bhreacadh le foclaíocht an Bhéarla. Ach go fiú ansin, níorbh é chuile chineál focal a d'úsáidfeadh Elvis - ach cineál ar leith: leithéid *Man, Action, Dude, Cool, Awesome, What's goin' down? Get my drift?*

Rinne Seán gáire, ach níorbh é gáire an áthais é. "Muise, is tearc é an t-aicsean ar na laethanta seo, a Liam," ar sé. "Níl blas oibre in áit ar bith."

"Obair, *Man*! Obair! Ná luaigh liom é! Tá mé

féin agus obair ar saoire óna chéile - *like I mean lo-o-o-ongterm, Man. Get my drift?*" ar sé. "Tá bealaí eile chun na *greenbacks* a chur sa phóca tóna seachas *sweat 'n tears, Man.*"

Chuir idir liobarnacht teanga agus stíl sliodarnach Elvis déistin ar Sheán, ach ní raibh sé cróga go leor ann féin chun é sin a chur in iúl. Rinne sé miongháire arís.

"Sea, *Man*, tá bealaí eile ann," arsa Elvis.

Dáríre, ba ghaire do charachtar as cartún éigin é ná do dhuine daonna, ach amháin go mbíonn a leithéid ann go fírinneach ó am go chéile. Agus ní raibh aon cheist faoi ach go raibh Liam, nó Elvis, nó cibé a thabharfaí air, ann go fírinneach.

"Céard deir tú? Céard tá i gceist agat?" arsa Seán.

Bhreathnaigh Elvis thart air féin sa scuaine: "Féach, *Man*," ar sé, "ní féidir labhairt anseo. Bailigh do chuid airgid anseo agus cas orm i gceann deich nóiméid i dTigh Bhewley - ólfaimid caife le chéile."

"A Sheáiní, *Man*," a chuala Seán ar shiúl isteach i dTigh Bhewley dó. Chas sé a shúile i dtreo na háite as ar tháinig an bhéic. D'aimsigh sé Elvis ann.

"Anseo, *Man*," arsa Elvis.

Níorbh fhada ina shuí é nó gur tháinig deireadh leis an mionchaint. Luigh Elvis isteach ar an rud ar theastaigh uaidh a phlé le Seán.

"Féach, *Man*, an bhfeiceann tú na *threads* seo, huth?" ar sé, agus na hordóga aige faoi liopaí na casóige bándeirge. "Ní fhaigheann tú *duds* den chineál seo ar dhada! *Twig, Man*? An dtuigeann tú?

Caithfidh *spondulicks* a bheith agat chun a leithéidí sin a cheannach! *Smackarullahs, Man*! Agus tá a fhios agamsa cén chaoi len iad a fháil ar bhonn rialta. *Twig?* Spéis agat, huth? An bhfuil?"

Cinnte bhí spéis ag Seán roinnt airgid a dhéanamh, ach bhí sé in amhras faoi céard a bhí i gceist ag Elvis. Mar sin féin - easpa féinmhuiníne, brú airgid, díomhaointeas - ar mhíle fáth, lig Seán d'Elvis dul ar aghaidh leis an gcaint.

Mhínigh Elvis a raibh ar siúl aige chun airgead a dhéanamh... é féin agus beirt eile. Gadaíocht! B'in bun agus barr an scéil. Ní raibh cineál ar bith nach raibh déanta acu ó dúnadh an mhonarcha - tithe, siopaí, carranna.

"*You name it,* a Sheáiní!" ar sé, "tá sé déanta againn. Airgead ar dhada, a bhuachaill! Saoire faoin ngrian faoi dhó le bliain anuas! Carr nua! Físeáin! *You name it*, a mhac!" ar sé arís.

Bhí faitíos ar Sheán a thuilleadh a chloisteáil, ach ba mhó faitís fós a bhí air imeacht. Lean Elvis den chaint: dúirt leis go raibh '*Number* deas' ar na bacáin aige; bhí áit ann don cheathrú duine.

"Agus, *Man*," ar sé, "dhéanfá an ceann seo agus tú i do chodladh - *Piece of cake,* a Sheáiní-*boy*. Tá áit ann duit, a bhuachaill."

Chroith Seán a chloigeann, ag tabhairt le fios nár spéis leis é. Ní fhéadfadh sé! A bhean, a mhaicín beag. Ní fhéadfadh sé.

"Maith go leor, maith go leor, *Man*," arsa Elvis, "ach tá mé á rá leat: dhéanfadh an dall féin é seo gan stró dá laghad."

D'aithin Elvis loinnir bheag spéise i súile Sheáin

anois, shíl sé. Thapaigh sé an deis.

"Féach, a Sheáiní, is cuma mura bhfuil spéis agat ann, ach éist leis seo ar aon chaoi," ar sé.

Lean Elvis air. D'inis sé do Sheán gurbh í an mhonarcha inar oibrigh siad a bhí i gceist an uair seo.

"Cuimhnigh, *Man*, bhíos i m'fhear stórais ann. Tá cur amach agamsa ar an bhfoirgneamh sin thar dhuine ar bith eile," arsa Elvis. Bhí a fhios aige go raibh na céadta ríomhairí pearsanta stóráilte ann i gcónaí. Ach bhí siad le bogadh chun na hEorpa go luath; taobh istigh de choicís, a dúradh leis. Agus bhí an ceart ag Elvis: má bhí eolas na háite ag éinne, go háirithe ar an seomra stórais, is aigesean a bhí.

"Isteach, amach agus *away* scon scan," ar sé. Bhreathnaigh sé sna súile ar Sheán agus d'aithin sé bogadh éigin iontu.

"Féach, níl mise chun aon bhrú a chur ort, a Sheáin, *Baby*. Fút féin atá. Oíche an tSathairn atáimid á dhéanamh - arú amárach. Níl uainn ach tiománaí, sin an méid. Déanfaidh mise agus an bheirt eile an obair. Ní bheadh le déanamh agat ach an veain a thiomáint. Tá áit ann duit, a Sheáiní-*Man*, ach caithfidh fios a bheith agam amárach. Tá £50,000 an duine ann, ar a laghad. *Piece of cake*, a bhuachaill, ach fút féin atá. Amárach - ar a dheireanaí. Beidh mé anseo ar a haon má theastaíonn uait labhairt liom," ar sé.

Leis sin, bhí Elvis imithe. D'ardaigh Seán an cupán caife agus chonaic go raibh a lámha ar crith. Ní raibh a fhios aige ar bhrionglóid í nó nárbh ea. Chaith sé siar an caife, lig osna agus dúirt leis féin gan aon bhaint ná páirt a bheith aige leis an obair seo.

D'éirigh sé agus rinne a bhealach chun a' bhaile.

Nach aisteach é, ach d'airigh Seán an lá sin, agus é ag teacht i dtreo dhoras an tí, nach raibh rudaí ina gceart sa bhaile. Bhí Aoife, a bhean, roimhe sa chistin, í ina suí ag an mbord agus na deora léi. Bhí litir fáiscthe tachta ina lámh chlé aici.

"A Aoife, a stóirín," arsa Seán, agus dhruid sé chuici agus chuaigh ar a ghlúine taobh léi. Dhruid sí a cloigeann chuige agus bhrúigh siad a n-aghaidheanna ar a chéile, cláréadan ar chláréadan, srón ar shrón. "Céard é féin?" ar sé.

Drochscéala, gan aon agó. Bhí a fhios acu go raibh sé le teacht le tamall ach, ar bhealach éigin, bhí sé i bhfad níos measa ná mar a shamhlaigh siad é. An teach! An Cumann Foirgníochta! Riaráistí naoi mí ar an morgáiste. Dhéanfaí athghabháil ar an teach agus dhíolfaí orthu é. Céard a dhéanfaidis? Cá ngabhfaidis? Céard a bhí i ndán dóibh?

Ba bheag codladh a rinne Seán an oíche sin, é ag casadh agus ag corraíl ar feadh an ama. Ansin, nuair a d'éirigh leis suaimhneas éigin a fháil, dhúisigh sé de phreab arís. Bhí fuaire allais ar a chlár éadain agus iarsma d'aghaidh Elvis ina chuimhne aige ón tromluí a bhí aige. Sin é! Sin é a dhéanfadh sé. Elvis!

*   *   *

Oíche Shathairn. Spéir ghlan. Seán ina shuí sa veain, na cúldoirse ar oscailt agus é ag fanacht ar an luchtú. Bhí sé ar strae áit éigin idir réaltaí glioscarnacha na hoíche agus an méid a dhéanfadh £50,000 na hoíche oibre dó féin, d'Aoife agus dá maicín óg, Dara. Bheadh an teach slán. Go deimhin, d'fhéadfaidis é a cheannach amach glan dá mb'áil leo sin; agus

thiocfadh Seán ar bhealach éigin chun cúrsaí a mhíniú
d'Aoife. An Lotto, b'fhéidir, nó capall - sea, b'fhearr
na capaill. Cé a d'fhéadfadh a rá nach raibh sé fíor?

Bhí Elvis agus an bheirt eile istigh ag cur an
ualaigh ar na pailéid. Ach cén mhoill a bhí orthu?
Dúirt Elvis nach dtógfadh sé ach uair an chloig ar a
mhéid. Bhí uair agus trí cheathrú imithe cheana féin!
B'fhéidir go raibh deacracht éigin le doras, nó le gléas
iompair nó rud éigin eile dá shórt, shíl sé.
Chuimhnigh sé ar Elvis... *'Piece of cake! Piece of
cake, Man!'* Chuir Elvis fíordhéistin air, dáiríre. Ba
mheasa fós gur chuir sé déistin air go raibh air dul i
muinín a leithéide; go raibh an córas chomh lofa,
chomh héagórach sin nach raibh de rogha ag a
leithéid, chun a chlann a choinneáil i gceart, ach
tabhairt faoin obair shuarach seo.

Leis sin, rug scáil solais i scáthán cliathánach an
veain greim ar shúile Sheáin. Bhí siad píosa uaidh.
Dhá sholas a bhí ann - tóirsí. A thiarcais Dia! Cén
diabhal a bhí ar Elvis ar chor ar bith? Ní raibh an gá
dá laghad le tóirsí a úsáid - bhí an spéir chomh glan
sin agus iomlán gealaí ann. D'oscail Seán doras an
veain agus léim amach chun fainic a chur orthu faoi
úsáid na soilse. B'ansin a thuig sé a raibh ag titim
amach.

"Tusa! Fan mar atá tú. Gardaí - Scuad na
gCoireanna. Leag do lámha ar thaobh an veain agus
seas agus do chosa spréite agat."

Scread mhaidine air mar obair!

Tháinig na Gardaí de ruathar chuige agus rinne
duine díobh cuardach corpartha air. Le linn an
chuardaigh tháinig a thuilleadh Gardaí, Elvis agus an

bheirt eile i ngreim acu.

"Fan i do thost, *Man*," arsa Elvis le Seán. "Ná hinis dada dóibh. An dtuigeann tú? Dada. *Zilch*! Tá tú i dteideal dlíodóir a bheith agat, *Man*. An gcloiseann tú mé? Ná hinis dada dóibh go mbíonn dlíodóir i do chuideachta, a bhuachaill. An dtuigeann tú, a Sheáiní, *Man*?"

Leis sin scuabadh Elvis isteach i gceann de charranna na nGardaí agus an chuid eile díobh i gcarr eile fós agus tugadh an ceathrar díobh chun bealaigh.

Caitheadh an oíche i mbun ceistiúcháin in Áras na nGardaí. Ceistiú aonair a bhí ann, gach duine den cheathrar acu i seomraí difriúla.

"Cuimhnigh ar do bhean chéile agus ar do pháiste, a Chonghailigh," a dúirt duine de na bleachtairí le Seán. Agus chuimhnigh Seán orthu. Go deimhin, ní raibh a dhath eile ar a intinn anois aige ach iad.

"Cuidigh linne agus beidh cúrsaí i bhfad níos éascaí duit, a Sheáin," arsa duine eile díobh. Agus chuidigh Seán.

Chuimhnigh agus chuidigh, go deimhin. D'inis Seán iomlán a scéil féin dóibh, gan cor ná casadh a chur ann: faoi mar a bhí cúrsaí go dona aige; faoina lagmhisneach; faoin drochscéal i dtaobh an tí. Chuile shórt. Níor chuir sé srian ar an insint. Mar a tharla, ar aon chaoi, bhí a fhios ag na Gardaí nach raibh aon pháirt aige cheana in obair na baicle seo. Bhí siad ag faire orthu le cúpla babhta anuas. Ach, mar sin féin, bhí Seán istigh leo don gheábh seo. Chaithfeadh sé dul os comhair na cúirte ach an oiread leis an gcuid eile díobh, ach dúirt na Gardaí go seasfaidis lena ngeallúint cás a dhéanamh ar a shon.

Os comhair na cúirte lá arna mhárach thug na Gardaí fianaise i leith an cheathrair. Chun a gceart a thabhairt dóibh, dúradar go hoscailte nárbh ionann cás Sheáin Uí Chonghaile agus cás an triúir eile. Rinne siad cás chomh maith dó agus a d'fhéadfaidís; cás chomh láidir sin gur thug an Breitheamh seans do Sheán a scéal a insint, agus d'inis.

D'airigh Seán gur éistíodh go tuisceanach lena insint agus bhí sé dóchasach as an mbreithiúnas a thabharfadh an Giúistís i ndeireadh an ama. Bhí sé cinnte go ngearrfaí tamall de bhlianta ar an triúr eile, ach ba é tuairim dhlíodóir Sheáin ná nach gcuirfí sa phríosún eisean; ba é ba dhóichí ná go ngearrfaí seirbhís phobail de chineál éigin air. Ar an mbealach sin dhéanfaí leas an phobail agus leas Sheáin féin ag an am céanna. Chuideodh sin le féinmheas agus le féinmhuinín Sheáin agus cá bhfios nach mbeadh cúpla punt breise aige as chomh maith leis an dól a bheith aige i gcónaí. Is olc an ghaoth, go deimhin, a shíl sé dó féin.

Chuaigh sé dian ar an triúr eile nuair a d'fhógair an Giúistís a bhreith. Níorbh é nach raibh súil acu leis ach, ar bhealach éigin, nuair a fhógraítear rud go deimhneach dearfach, téann cinnteacht an fhógra sin i gcion ar dhuine ar bhealach nach dtéann an smaoineamh féin. Ocht mbliana ar Elvis agus cúig ar an mbeirt eile - díreach mar a bhí súil acu leis. Bhí cuma fhuar ar éadan an triúir acu agus iad ag fanacht ar an gcinneadh i dtaobh Sheáin.

Ní raibh a fhios ag Seán ar chuala sé i gceart é nuair a labhair an Giúistís ar deireadh. Má chuaigh

breith na cúirte dian ar an triúr eile, ba dhéine i bhfad
é mar a d'imigh sé ar Sheán. Ní fhéadfadh sé é a
chreidiúint, dáiríre. Trí bliana príosúin. Trí bliana! I
ndiaidh don dlíodóir a rá leis gur shíl sé gur seirbhís
phobail a ghearrfaí air! Gáire ba thúisce a tháinig
chuige; gáire Sheáin dóite! Ach níor mhair an gáire i
bhfad. Ba é caoineadh géar Aoife á theilgean féin ó
bhalla go balla an tí chúirte a thug chuige féin arís é.
Trí bliana! A thiarcais, Dia! Chas sé agus chonaic
Aoife ansin, í ina pleist chaointeach i lár an tsuíocháin
fhada agus Dara beag taobh léi is gan an tuairim dá
laghad ag an gcréatúirín céard ba bhunús le gol seo na
máthar. Bheadh an páiste beag ocht, beagnach naoi
mbliana d'aois faoin am a scaoilfí Seán as Príosún
Mhuinseó. Ní hé Seán a leagfadh boinn faoin bpiliúr
dó nuair a chaillfeadh sé fiacail ná a sheasfadh taobh
leis lá a Chéad Chomaoiní. Blianta luachmhara de
shaol an mhaicín caillte ag an athair.

Ní raibh lá sa phríosún dó nár airigh Seán Ó
Conghaile mar thrí lá é: ceann dá bhean chaoin,
Aoife, ceann dá mhaicín óg soineanta agus an ceann a
bhí ag dul dó ó cheart - a cheann féin. Thochail sé cré
gháirdín an phriosúin le ceann na grafóige agus
chrom chun bonn geal airgid a phiocadh as. Píosa
puint a bhí ann, agus salachar na cré greamaithe go
teann idir théada na cláirsí ar a chúl. D'oibrigh sé
ionga na corrmhéire chun an salachar a bhí idir na
téada a ghlanadh. Bhreathnaigh sé anois ar an gcré a
bhí i bhfostú istigh faoin ionga agus d'airigh sé gurbh
leis ó cheart a raibh aimsithe aige. Níorbh aon
£50,000 é, ach ba leis go dlisteanach é. D'fháiscfeadh
sé isteach i lámh a mhaicín é nuair a thiocfadh sé ar

cuairt le hAoife ar an Aoine. Chuimil sé an pocfhia ar dhromchla an bhoinn lena ordóg agus lig dó sleamhnú isteach i bpóca na casóige.

mianach

Mianach

D'airigh Eoin Ó Gruagáin imeachtaí na seachtaine ag luí go trom air. Bhí an seomra inar shuigh sé duairc fuar liath - é in oiriúint don leagan intinne a bhí ar an múinteoir óg. Gan ann ach é féin agus duine de na Gardaí Síochána, amhail is go raibh gá lena leithéid. Amhail is go ndéanfadh sé dochar éigin dó féin, nó, níos measa fós, do dhuine éigin eile. Tháinig cléireach cúirte chuige ar ball beag agus cupán caife aici dó. Cupán eile aici don Gharda agus an oiread céanna d'fháilte aigesean roimh an mblogam te is a bhí ag Eoin féin. Ba dheas uaithi é. As a stuaim féin a rinne sí amhlaidh, shíl sé.

"Ní bheidh siad i bhfad eile istigh, measaim," ar sí, agus rinne sí miongháire leis. Bhreathnaigh sé ina diaidh. Thabharfadh an dall féin dathúlacht na mná óige faoi deara.

Céard sa diabhal a bhí á gcoinneáil chomh fada sin ag teacht ar thoradh? Bhí an Breitheamh féin in éindí leo. Caint, is dócha. Abhcóidí agus caint! Dhá rud a d'fheil go maith dá chéile, shíl sé - abhcóidí agus caint. D'fhéadfadh sé an ceann sin a chur le liosta na bpéireanna ar scoil amach anseo: *An dá rud is doscartha ar an domhan seo? - Abhcóide agus Caint.*

71

Sea, bheadh sin go maith mar ábhar don cheacht Gaeilge le lucht 3B. Sea, go maith - go dtí go ndéarfadh gligín beag éigin amach os ard gur doscartha fós iad bairneach agus cloch. Agus bheadh sciotaíl ar fud an ranga. Leithéidí Robson Uí Bhroin a thapódh deis mar sin. Huth! Seans ann, i ndiaidh bhreithiúnas an Ghiúistís a bheith tugtha, nach bhfeicfí i mbun ranga riamh arís ar aon chaoi é!

Robson Ó Broin! An té ba chúis le hEoin a bheith ina shuí ansin inniu. Cén diabhal a bhí air gur chaill sé an bloc leis an scabhaitéirín beag suarach? Bhí an boicín sin á chrá ón gcéad lá sa rang dó. Eisean ar a dhícheall an Stair a dhéanamh tarraingteach do na daltaí, an gob i gcac de Bhroineach sin ag dul ina choinne ar feadh an ama. Na daltaí eile ansin ag gáire faoi chuile gheáitsíocht a bhí ag an slíomadóir. A Chríost! Cén fáth nár fhéad sé guaim a choinneáil air féin an lá sin? Spadhar mire a tháinig air a luaithe agus a mhaslaigh an Broineach é.

"Ara, téigh dtigh diabhail, a chunúisín," a dúirt an gasúr leis, nuair a d'iarr Eoin air é féin a iompar mar ba chóir. Ansin, ní fhéadfadh Eoin smacht a choinneáil air féin. Bhí sé in ann dul siar agus é féin a fheiceáil i gcónaí; chuile shórt á léiriú féin ina mall-ghluaiseacht phianmhar ina intinn istigh: *Stair an Aontais Shóivéadaigh le Mc Clelland* ar eitilt uaidh san aer; seitgháire de shíor ar smut Uí Bhroin; a dheasóg féin ag teacht anuas go láidir ar leiceann an ógánaigh. Bhí sé mar a bheadh míreanna beaga de scannán ag preabarnach os comhair na súl air. Agus a luaithe agus a theagmhaigh sé leis an éadan, thuig sé an dochar a bhí déanta dó féin aige. Rinne an gasúr ar an doras láithreach agus chas ar ais chuige:

"Íocfaidh tú go diabhlaí daor as sin, a Ghruagánaigh," ar sé, agus d'ardaigh sé an dá mhéar, iad scartha ina V os comhair an mhúinteora agus leath meangadh an tslíomadóra ar bhéal an dalta. Leis sin, chas sé agus rinne lom díreach ar an oifig chun a raibh déanta ag Eoin air a sceitheadh leis an bPríomhoide.

Ar fionraí a cuireadh Eoin láithreach bonn agus is mar sin a bhí go dtí gur glaodh an cás os comhair na cúirte. Ní raibh de rogha ag an bPríomhoide, Daithí Ó Dochartaigh, ach é a chur ar fionraí. An Roinn Oideachais a chuir comhairle air an cinneadh sin a dhéanamh. Mar sin féin, chuaigh sé dian ar an Dochartach é sin a dhéanamh, ach ba chuidiú dó é gur thuig Eoin nach raibh aon dul as aige: nach raibh á dhéanamh ag an bPríomhoide ach mar a dúirt dlíodóirí na Roinne leis a dhéanamh. Bliain agus ráithe anois, nach mór, ó sheas sé os comhair ranga.

Ba é an meangadh ceannann céanna a bhí ar phus an déagóra agus é ina shuí sa chúirt le ceithre lá anuas. É méadaithe cuid mhaith thar mar a bhí sé ón uair ar tharla an eachtra féin. A thuismitheoirí taobh leis agus aoibh shleamhain an mhic le feiceáil ar éadan an athar chomh maith. Mac an chait gan aon agó, a dúirt Eoin leis féin. Ní raibh cuma an fhaitís orthusan le linn imeachtaí na cúirte. A mhalairt ar fad, dá ndéarfaí an fhírinne. Iad ag cogarnaíl is ag gáire agus ag caitheamh sracfhéachaint i dtreo Eoin ó am go chéile. B'in iad na huaireanta ba mhó a d'fheictí an meangadh gránna ar bhéal an bhuachalla.

Ghriog cuimhne aghaidh Uí Bhroin sonraí éagsúla

eile na seachtaine in intinn Eoin. An fhianaise a thug sé féin, mar shampla: bhí sé á chiceáil féin nár chuimhnigh sé ar an iliomad samplaí de dhrochiompar Robson a insint don chúirt; a mhinice agus a bhíodh gach uile mhúinteoir ag gearán faoina phleidhcíocht agus iad i gcomhrá lena chéile ag sos caife na maidine; faoi mar a bhéarfaí air go laethúil i mbun diabhlaíochta éigin ar chúl seideanna an chlóis. Ach an diabhal aturnae sin de chuid Mhuintir Uí Bhroin! Níor thug sé seans d'Eoin aon cheist a fhreagairt ina hiomláine. É ag gabháil dó, á chiapadh, á bhrú chun an freagra ar theastaigh uaidhsean a chloisteáil a thabhairt dó.

"*An bhfuil tú pósta, a Mhic Uí Ghruagáin?*" a deir an t-abhcóide.

"*Níl.*"

"*Gabh mo leithscéal. Níor chuala an Chúirt tú. An bhfuil tú pósta?*"

"*Níl.*" É ráite níos airde ag Eoin an uair seo.

"*Níl! Níl tú pósta, a Mhic Uí Ghruagáin. Agus, a Mhic Uí Ghruagáin, an mbeadh sé ceart a cheapadh nach bhfuil aon pháistí de do chuid féin agat?*"

"*Is fíor sin.*"

"*Is fíor! Tá sé ceart a rá nach bhfuil aon pháiste agat féin?*"

"*Tá.*"

"*Agus, a Mhic Uí Ghruagáin, an bhfuil aon tuairim agatsa - mar a bheadh ag tuismitheoir, abair - ar cén chaoi is fearr déileáil le páiste atá ag tabhairt aghaidhe ar bhlianta deacra na ndéaga? Hmm! An bhfuil?*"

"*Bhuel, is dóigh liom...*"

74

"*Is cuma céard is dóigh leat, a Mhic Uí Ghruagáin. Freagair an cheist: Tá nó Níl.*"

"*Bhuel ceapaim...*"

"*Tá nó Níl, a Mhic Uí Ghruagáin? Tá nó Níl?*"

"*Bhuel...*"

"*Tuairim, mar a bheadh ag tuismitheoir, a Mhic Uí Ghruagáin! Hmm! An bhfuil sin agat?*"

"*Bhuel, níl a fhios agam céard a...*"

"*Níl a fhios agat, a Mhic Uí Ghruagáin! NÍL-A-FHIOS-AGAT! Déagóir óg soineanta anseo, é faoi do chúram ar feadh ceithre, cúig, sé sheisiún ranga in aghaidh na seachtaine, b'fhéidir, agus admhaíonn tusa leis an gCúirt seo nach bhfuil a fhios agat cén chaoi is fearr le déileáil leis; nach bhfuil aon tuairim agat, go fiú, cén chaoi déileáil leis!*"

"*Ní hin é a dúirt...*"

"*Is leor sin, a Mhic Uí Ghruagáin, go raibh maith agat. Níl a dhath eile agam le cur ort, ach amháin seo, b'fhéidir: Ar bhuail tusa an déagoir óg soineanta seo gan fáth?*"

"*Ní gan fáth, a dhuine uasail. Bhí...*"

"*Is cuma céard a bhí agus céard nach raibh, a Mhic Uí Ghruagáin. Ar bhuail tú é? Bhuail nó níor bhuail?*"

"*Bhuail, ach...*"

"*Bhuail! Bhuail! Is leor sin, más ea. Go raibh maith agat, a Mhic Uí Ghruagáin. Níl a thuilleadh ceisteanna agam ag an bpointe seo, a Ghiúistís.*"

B'in é an chéad lá - an Mháirt. Chun donais a d'imigh cúrsaí ina dhiaidh sin. A abhcóide féin - níorbh fhiú cac an diabhail é i gcomparáid leis an bhfear eile. Go bhfóire Dia orainn! Nárbh eisean - a

abhcóide féin - a dúirt le hEoin, an chéad uair a
chuaigh sé chun cainte leis, go dtaobhaíonn an Chúirt
leis an bpáiste i gcónaí, cuma ceart nó mícheart! Sórt
géilleadh ó thús, sula dtosódh sé ar chor ar bith, a shíl
Eoin.

An Chéadaoin: *Fair play* don Dochartach, ar aon
chaoi. Ba rímhaith ar fad a thuig seisean cruachás
Eoin. B'ábhar iontais riamh dó é nár thug duine éigin
eile de na múinteoirí ladaráil mhaith don spreasán
beag de chneamhaire i bhfad Éireann roimhe sin. Bhí
sé deacair air cuimhneamh ar an aon lá amháin féin
nuair nach raibh an Broineach curtha chun na hoifige
ag múinteoir amháin nó ag múinteoir eile. Ag cur as
d'obair an oide go hiondúil a bhíodh sé; é sin nó toisc
é a bheith ag cur isteach ar iarrachtaí foghlama na
ndaltaí eile. Bhí sé íorónta gurbh é Eoin a rinne é a
bhualadh ar deireadh, an duine ba ghroíúla, ba
shéimhe, ba choinsiasaí, b'fhéidir, dá raibh ar
fhoireann teagaisc na scoile.

"*Múnteoir ní ba chumasaí, ní ba choinsiasaí, ní ba
dhílse ní fhaca mé le linn dom a bheith i mo
Phríomhoide meánscoile, agus sin tréimhse seacht
mbliana is fiche, a dhuine uasail,*" a dúirt an
Dochartach le habhcóide an Bhroinigh. Bhí sé tar éis
an fhianaise chéanna a thabhairt d'abhcóide Eoin féin
ar ball beag.

"*Sea, sea, a Mhic Uí Dhochartaigh, chualamar é
seo uait cheana féin nuair a bhí ceisteanna an
Abhcóide Chosanta á bhfreagairt agat, ach ní
bhaineann sin a bheag ná a mhór lena bhfuil faoi
chaibidil anseo againn,*" arsa an t-Abhcóide Cúisithe,
"*agus is cinnte nach bhfreagraíonn sé an cheist a*

*chuir mé ort: 'sé sin, i do thuairim phroifisiúnta, ar lá
na heachtra seo, an dóigh leatsa go raibh an
múinteoir Staire, Eoin Ó Gruagáin, in ann an rang a
bhí os a chomhair ag an am a choinneáil faoi
smacht?"*

"Bhuel, mar a dúirt mé..."

*"Chualamar an rud a dúirt tú, a Mhic Uí
Dhochartaigh, ach ní fhreagraíonn sin an cheist seo.
Anois, le do thoil, i do thuairimse, an raibh Mac Uí
Ghruagáin in ann an rang a choinneáil faoi smacht ar
an lá sin? Bhí nó ní raibh?"*

"Níl a fhios agam," arsa an Dochartach.

"Bhí nó ní raibh, a Mhic Uí Dhochartaigh?"

"Níl a fhios agam, níl a fhios agam."

*"Díreach é, a Mhic Uí Dhochartaigh! Níl a fhios
agat! Agus ar mhaith leat a insint don Chúirt seo, a
Mhic Uí Dhochartaigh, cén fáth nach bhfuil a fhios
agat?"*

*"Bhuel, cén chaoi a mbeadh a fhios agam? Ní
raibh mé ann. Ní raibh mé sa seomra ranga nuair a
tharla an eachtra seo."*

*"Anois! Anois, táimid tagtha chuig an bpointe
tábhachtach san fhianaise seo uait. Ní raibh tú ann.
Ní raibh tú sa seomra ranga. Agus, mar sin, ní féidir
leatsa a rá, le dearfacht ar bith - dearfacht ar bith -
céard a tharla an lá sin. Nach fíor sin, a Mhic Uí
Dhochartaigh?"*

"Bhuel..."

"Nach fíor sin, a dhuine uasail? Hmm!"

"Bhuel, is dócha go gcaithfí a rá gur fíor."

"Mar sin, tá gach fianaise a thabharfá i dtaobh
imeachtaí *an lae sin lochtach. Nach bhfuil sé sin*

amhlaidh, a Mhic Uí Dhochartaigh?"

"Tá. Ach is mar fhinné *ar a charachtar a..."*

"Is leor sin, a Mhic Uí Dhochartaigh. Go raibh maith agat. Níl a thuilleadh ceisteanna agam, a Ghiúistís."

Cén fáth, in ainm Dé, nár chuir an Breitheamh a ladar isteach sa scéal ag an bpointe sin? Cén fáth ar lig sé don Abhcóide Cúisithe bob mar sin a bhualadh ar an Dochartach? Dá mba thriail os comhair giúiré í, samhlaigh mar a rachadh deisbhéalachas den chineál sin i gcion orthu. Ar a laghad, sa chás seo, is faoin mBreitheamh a bhí sé cinneadh a dhéanamh ar deireadh. Mar sin féin, bhí an ráiteas úd dá ndúirt a abhcóide féin le hEoin, go dtaobhaíonn an Chúirt leis an ógánach i gcónaí, ag griogadh na hintinne air.

Déardaoin: Déardaoin dorcha. Déardaoin duairc. D'ainneoin iarrachtaí an Dochartaigh an lá roimhe sin, rinne an t-Abhcóide Cúisithe beag is fiú dá fhianaise. Agus go fiú daoine a bhí fábhrach d'Eoin - daltaí, comhúinteoirí, corrthuismitheoir, go fiú - rinne abhcóide an Bhroinigh gach ráiteas uathu a chasadh agus a lúbadh nó gur chuir sé ina ainriocht é. Cheapfá gur coirpeach é Eoin ó bheith ag éisteacht leis.

Agus Robson Ó Broin féin! B'in seoid an Déardaoin amach is amach. É chomh snasta dea-ghléasta béasach - tréithe nár bhain riamh leis á n-úscadh uaidh go fras. Chuir sé fonn múisce ar Eoin a bheith ag éisteacht leis. Gach '*Sea, a dhuine uasail,*' agus '*Ní hea, a dhuine uasail*', uaidh - d'airigh Eoin Ó Gruagáin gach aon cheann díobh mar a bheadh tairne á thiomáint trí fheoil na boise air, go raibh an fear seo a raibh de chumhacht aige a rá cé a bhí ceart agus cé nach raibh, corraithe ag taispeántas an smaoisín bhig.

Agus mar bharr ar fad ar dhonas an Déardaoin, bhí an phoiblíocht. Mímhoráltacht na meán. A thionchar ar a thuismitheoirí féin, a bhí anois in aois mhaith, ba mhó a chuir as d'Eoin. Tuairisceoirí, nuachtóirí, lucht raidió agus teilifíse. Ní raibh stop orthu ó thús na seachtaine lena dtuairisceoireacht gháifeach: 'Cás-triail Thástálach Inniu' / 'Bhuail mé an Déagóir - Múinteoir' / 'Admhaíonn Príomhoide go bhfuil a Fhianaise Lochtach'. Leanadar Eoin as Teach na Cúirte gach aon lá, ceist i ndiaidh ceiste ar an mbealach chun an chairr dó. Buíochas le Dia go raibh rún daingean déanta aige roimh ré guaim a choinneáil air féin agus gan ligean don fhearg a bhí á chreimeadh istigh a bheith follasach don saol Fódlach.

Chroith oscailt dhoras an tseomra as an gcíoradh intinne é. Tháinig séideán aeir fhuair ina leoithne chuige. An banchléireach arís a bhí ann. Bhreathnaigh sé síos ar an gcupán a luaithe agus a chonaic sé í. Bhí an caife chomh fuar leis an seomra féin; bhí dearmad déanta aige air; gan ólta de ach an méidín ba lú. D'fhéach sí ar an gcupán nuair a tháinig sí fad leis. Ansin d'fhéach sí ar Eoin féin agus chuir miongháire caoin ar a haghaidh.

"Tá siad ullamh anois duit, a Mhic Uí Ghruagáin. Go n-éirí leat," ar sí, agus d'fháisc sí bícéip na deasóige air go séimh, mar chomhartha misnigh dó.

"Go raibh maith agat," arsa Eoin, agus iarraichtín de mhiongháire ar a bhéal aige. Agus, leis sin, bhí sí imithe agus an Garda, a bhí go ciúin sa seomra ar feadh an ama, ina háit anois. Rug seisean greim anois ar bhícéip Eoin. Bhí a ghreim i bhfad Éireann ní ba dhoichte ná greim na mná roimhe, ach bhí sé cineálta mar sin féin.

"Ádh mór," ar sé, de chogar - an t-aon dá fhocal dár chuala Eoin uaidh in imeacht na seachtaine. Tuin Chonallach air, shíl sé. Leis sin, threoraigh sé Eoin i dtreo dhoras an tseomra agus isteach arís i bpríomhsheomra Theach na Cúirte.

Bhí a abhcóide féin ag seasamh ag an mbord, ag fanacht air le fáilte ar ais a chur roimhe. Cuma mhílítheach chloiche ar a aghaidh, shíl Eoin. Ar an taobh eile den seomra bhí muintir Uí Bhroin agus a n-abhcóide-san: an fhéinmhuinín go hard iontu, ba chosúil. Robson ina measc. Chas sé i dtreo Eoin agus leath an meangadh gránna úd arís air.

Torann dorais ag ceann an tseomra agus isteach arís leis an mBreitheamh agus cúntóir ina dhiaidh. Suas leis ar an seastán agus shuigh sé ar an mbinse. Bileoga éagsúla á suaitheadh trína chéile aige tamaillín agus casaichtín nó dhó uaidh. Bhrúigh sé na spéaclóirí beaga rabhnáilte siar go droichead na sróine, ghlan a scornach den uair dheireanach agus labhair:

"Tá mo mharana déanta go cúramach fada agam ar shonraí éagsúla an cháis seo. Brúidiúlacht! Brúidiúlacht, in am ar bith, tá sé gránna... meatach, ar bhealach, bíodh sí ina brúidiúlacht ar pháiste eile, nó brúidiúlacht an fhir ar bhean, nó brúidiúlacht an fhir ar fhear eile, go fiú."

Bhí an uile chluas sa chomhthionól ar bior chun éisteachta; an uile dhuine ag iarraidh tábhacht gach aon fhocal a mheas. D'airigh Eoin snáth an éadochais ann féin cheana féin. Bhreathnaigh sé sall i dtreo mhuintir Uí Bhroin agus chonaic go raibh cuma shásta orthu; iad ag teannadh i dtreo a chéile ag an mbord agus ag cogarnaíl ar feadh an ama.

"Ach, a dhaoine uaisle, brúidiúlacht an duine fhásta ar an duine óg, go háirithe brúidiúlacht an fhir ar dhuine óg, ní féidir é a mhaitheamh riamh ar fáth ar bith."

"Sea!" a dúirt Robson Ó Broin, os ard, ó bhord an Abhcóide Chúisithe i lár an tseomra. Mar gháir mhaíte, gáir chatha a dúirt sé é. Stop an Breitheamh agus bhreathnaigh ina threo láithreach, na spéaclóirí á n-ísliú de dhroichead na sróine athuair aige. Thug sé faoi deara, den chéad uair in imeacht na laethanta a bhí caite, an meangadh gránna úd ar bhéal an ógánaigh. D'aithin sé mar mheangadh é a léirigh mianach sotalach sa té a rinne; mianach sleamhain. Bhuail sé buille giorraisc amháin dá chasúirín adhmaid ar an leicín práis a bhí ar chiumhais an bhinse aige: "Déanfaidh sin go fóill tú, a bhuachaill," ar sé, agus stán sé go géar i dtreo an Bhroinigh, agus d'fhan an Breitheamh tamaillín ina thost sular lean sé air.

"Tá an dlí an-soiléir i gcásanna den sórt seo," ar sé, agus é arís ag breathnú ar an gcomhthionól i gcoitinne. "Nuair a fhágtar déagóirí na tíre faoi chúram scoile - faoi chúram múinteora, mar atá sa chás seo - fágtar iad sa mhuinín go bhfuil an múinteoir sin *in loco parentis*; fágtar iad sa chreidiúint nach ndéanfaidh an múinteoir sin aon treascairt ar an muinín atá curtha ag na tuismitheoirí sin ann. Is léir sa chás seo, áfach, go rinneadh treascairt ar an muinín sin; gur imríodh brúidiúlacht ar an ngearánaí, Robson Ó Broin, agus in imirt na brúidiúlachta sin air, gur cuireadh cosc ar chearta an ógánaigh seo."

D'airigh Eoin an tráithnín deireanach misnigh ag cúlú uaidh. Ag an uair ba laige dó is ea bhí an buille ba mheasa le teacht, shíl sé.

"Seas, le do thoil, a Mhic Uí Ghruagáin," arsa an Breitheamh. Sheas Eoin, agus a abhcóide taobh leis. D'airigh sé laige sna cosa faoi.

"Tá brúidiúlacht ar Robson Ó Broin curtha i do leith agus is é breith na cúirte seo ná go bhfuil tú ciontach as an mbrúidiúlacht sin a imirt air."

Bhí idir osnaí agus ghártha ceiliúrtha le cloisteáil ar fud na Cúirte. D'imigh na focail ina saighead trí Eoin Ó Gruagáin; bior arraingeach na héagóra ar chuile cheann díobh. An comhluadar faoi thost athuair.

"Gearraim damáistí £2,500 ar an gCosantóir, Eoin Ó Gruagáin, i leith dochar pearsanta a bheith déanta ar Robson Ó Broin aige. Tá an Cosantóir saor chun imeachta ach beidh sé á mholadh don Aire Oideachais ag an gcúirt seo go mbreithneófaí go géar ar fheiliúnacht an Uasail Uí Ghruagáin do cheird na múinteoireachta."

Bhí béiceanna arda an ghairdis le cloisteáil ar thaobh na mBroineach den Teach Cúirte agus sluaisteáil na gcos le cloisteáil sa ghailearaí poiblí. Shuigh Eoin go righin. B'fhada uaidh é an clampar a bhí thart air. Ina chroí istigh a bhí an clampar; clampar na díchreidiúnachta; clampar géar na fulaingthe. Bhí sé beag beann ar theacht le chéile an

bheirt abhcóidí taobh leis ag an mbord, ar a
gcroitheadh lámha lena chéile agus ar an ngáire beag
a rinne siad faoi rud beag éigin a dúirt duine díobh
leis an duine eile. Seasamh Robson Uí Bhroin os a
chomhair a tharraing as an támhnéal é. Bhí sé ansin,
díreach mar a bhí sé sa rang an lá úd bliain agus
ráithe roimhe sin, agus thug sé an comhartha
tarcaisneach céanna arís don oide séimh.

Oíche. Aoine. Dorcha. Doimhneacht i nduibhe
uisce na canála. Corrlóchrann sráide cathrach ag
scaladh solais air in áiteanna, ach ní thugann an té a
sheasann ar chiumhais an uisce aon aird air sin. Agus
fuar! Chomh fuar le cupán caife nár blaiseadh de ach
an leathbhlogam; chomh fuar le casúirín beag
adhmaid ag teacht anuas ar chláirín práis; chomh fuar
le leac na huaighe agus leis an mbás féin.

Scaiptear dorchadas an uisce ina chuilithíní boga
agus damhsaíonn ina dhrithlíní san áit a
dteagmhaíonn sé leis an solas.

imleacán

Imleacán

'*Tá na Gardaí i Sráid an Mhuilinn, Gaillimh, ag impí ar mháthair an linbh úir fhirinn, a fuarthas tréigthe ar chéimeanna tosaigh an tSéipéil Aibhistínigh i gceartlár na cathrach ar maidin, teagmháil a dhéanamh leo. Tuairiscítear bail mhaith a bheith ar an bpáiste agus ceaptar é a bheith idir dhá agus trí lá d'aois. Ceaptar freisin go mb'fhéidir go bhfuil gá le cúram leighis ag máthair an linbh agus tá dearbhaithe ag na Gardaí go mbreathnófar ar a cás go cúntach tuisceanach, ach í féin a chur in aithne dóibh.*

'*Sa Dáil inniu, d'fhógair an tAire Airgeadis go mbreathnófar arís ar cheist...*'

Thóg sé allas-iarracht ar Ursula teacht chomh fada leis an teilifíseán, agus iarracht bhreise fós, go fiú, an cnaipe a bhrú chun go ndíbreofaí Aine Ní Fheinne, idir phictiúr agus ghlór, 'dtigh diabhail ar fad as an seomra. Dhún an scáileán isteach ina dhubh air féin, é ag déanamh cros gheal bhán de féin sa lár ar feadh roinnt soicindí, nó gur taoscadh sin chun duibhe leis. Chuaigh sé dian uirthi an leaba a bhaint amach arís ach nuair a bhain, tharraing sí an chuilt aníos agus d'fháisc go docht thart faoi na guaillí é. Buíochas le Dia, shíl sí, fuarthas é agus bhí sé slán. Bhí sé slán

87

agus thabharfaí aire dó. Aire níos fearr ná mar a d'fhéadfadh sise a thabhairt dó dá ndéanfadh sí cinneadh é a choinneáil.

Shleamhnaigh sí a lámh síos faoin mbráillín agus d'airigh ceantar na broinne. Bhí sí tinn; tinn istigh, tinn amuigh. Mar a bheadh beochréacht ann, shíl sí, amhail is go raibh sí dóite istigh, ar bhealach éigin. Bhí sé níos déine uirthi ná mar a shamhlaigh sí go mbeadh. Ach thiocfadh sí chuici féin in imeacht ama; bhí sí cinnte de. Chuimhnigh sí ar scéal a léigh sí - go luath i ndiaidh dí a fháil amach go raibh sí ag súil le páiste. Faoi mhná na n*Iroquois* a bhí sé - na hIndiaigh Dhearga i dtuaisceart Mheiriceá. Chromaidis ar a ngogaidí i bpoll, in áit iargúlta éigin, nuair a thagadh a n-ionú, thugaidis féin an páiste ar an saol, agus ar aghaidh leo arís i mbun cúrsaí an tsaoil díreach ina dhiaidh sin. Ach, ar fáth éigin, ní raibh sé chomh héasca céanna sin uirthise.

Buíochas le Dia, bhí an rúndacht thart - nó an chuid ba mheasa di, shíl sí. Bhí uaireanta ann i rith an ama sin nuair a shíl sí cinnte go dtabharfadh a tuismitheoirí faoi deara é. A máthair, ach go háirithe, shíl sí. Ba chuidiú leis an rúndacht é an leaistic sin a chuir sí i mbanda sciorta na héide scoile. Agus an geansaí scoile! Bhí an t-ádh léi go raibh liobarnacht san fhaisean; nó 'geansaithe flapaí' mar a thug na cailíní orthu. Agus ba bheannacht ó Dhia é nach mbíodh sí tinn ar maidin, cé's moite d'uair nó dhó. Chuir sé barr ar fad ar an rúndacht nuair a d'fhógair a tuismitheoirí go raibh siad ag brath ar thrí mhí an tsamhraidh a chaitheamh san Astráil, ar cuairt ar Andrea, an t-aon deirfiúr léi.

"Saoire fhada," a dúirt a hathair, "an t-aon bhuntáiste a ghabhann leis an múinteoireacht mar cheird."

Ar ndóigh, bhí siad ag brath ar Ursula a bhreith leo, ach b'fhurasta di leithscéal maith a chumadh: í ag súil le hobair shamhraidh a aimsiú sa bhaile; agus, ar aon chaoi, b'fhéidir go gcaithfeadh sí féin bliain iomlán san Astráil in éindí le hAndrea agus a fear céile, Greg, roimh dhul ar aghaidh chun na hollscoile di. Níor thóg sé mórán uirthi a n-intinn a mhúnlú chun go ligfidís di fanacht sa bhaile. Bhí sí le trust, má bhí éinne riamh, mar a deireadh a hathair i gcónaí fúithi. Ó, a Mhama!

B'iontach léi fós gur éirigh léi tabhairt faoin Ardteist ar chor ar bith lena raibh de rothlú ina hintinn. Níorbh in amháin é, d'airigh sí go ndearna sí go maith ann. Bheadh a fhios aici faoi sin faoi dheireadh na seachtaine seo, ar aon chaoi, arae, bhí na torthaí le bheith amuigh Déardaoin - an lá sula bhfillfeadh a tuismitheoirí ón Astráil.

Ba é an rud ba dheacra faoi na scrúduithe ná go raibh Aodán, athair an linbh, ag suí trasna uaithi sa halla ar feadh an ama; é ag sileadh allais; ag troid in aghaidh na hacadúlachta nuair ba rudaí eile, b'fhéidir, a bhí ar a intinn aige. Bhí an cheist ar fad pléite acu: ní raibh aon spéis aige sa leanbh; b'fhearr leis nárbh ann dó ar chor ar bith. Ba chuma, ar aon chaoi. Bhí ráite cheana féin ag Ursula go mbreathnódh sise ina dhiaidh, cuma ann nó as d'Aodán. Níor chaitheadar le chéile ó d'inis sí an scéal dó.

I Sasana a bhí an samhradh á chaitheamh ag Aodán. Obair geallta dó i monarcha phróiseála píseanna. Ag caitheamh siar na bpiontaí oíche i ndiaidh oíche, is dócha, a shíl Ursula di féin. É sin agus gach a d'imigh leis. Ba chuma léi. Ní raibh aon mhaith ann ar aon chaoi. D'éirigh léi gach a bhí le déanamh a dhéanamh sách maith dá uireasa.

Ocht nóiméad tar éis a naoi! Bheadh nuacht an Bhéarla leath thart, nach mór. Amach léi as an leaba arís, bhrúigh an cnaipe agus ar ais arís léi. Ar chúis éigin, ní raibh an ghluaiseacht chomh dian sin uirthi an babhta seo. Mar sin féin, níor dhochar ar bith é ceann de na gléasanna beaga fadraonacha úd a bheith aici.

Bryan Dobson i mbun léitheoireachta an babhta seo. B'aisteach é, ach bhí rud éigin ina dhreach a chuir Aodán i gcuimhne di... strainc nó gothaíocht bheag éigin comónta eatarthu. Ar an ngothaíocht sin a thug sí aird nó gur tháinig an mhír aníos.

'*Gardaí in Mill Street, Galway, have again tonight appealed to the mother of the baby boy left on the steps of one of the city centre churches, to please come forward. They have given an assurance of strictest confidentiality and of utmost understanding towards the mother. A report from our Western Correspondent, Jim Fahy.*'

Tharraing Ursula í féin aníos sa leaba beagáinín beag. Bhí faitíos uirthi cluas a thabhairt dó agus faitíos, leis, nach gcloisfeadh sí an scéal.

'*Gardaí here in Mill Street are still baffled tonight as to the identification or the whereabouts of the mother of the two to three-day-old baby found on the steps of the Augustinian Church. The baby, a boy, reported to be in perfect health, was warmly dressed, wrapped in a plaid woollen blanket and carefully placed in a sheltered enclave inside the archway of the main entrance to the church. Of more immediate concern to the authorities at this stage, however, is the health of the mother. It is felt that she may be young, unmarried perhaps, and in need of medical attention. Gardaí are appealing to the mother to make contact with them and they are at pains to guarantee total confidentiality. They also urge anyone who may have any knowledge of who the mother may be to contact them at Mill Street Garda Station. That's Galway, 091-563161. That number again for Mill Street Garda Station: Galway, 091-563161. Now, back to you, Bryan.'*

Buíochas le Dia arís go raibh an páiste slán. Bhí an oiread sin de chúram glactha aici ag iarraidh a chinntiú go mbeadh sé te teolaí, sách sábháilte san áit inar fhág sí é, agus gurbh áit í ina thiocfaí air go luath, go raibh sásamh nár bheag ann di gur mar sin a tharla.

Mhúch sí an teilifís arís agus luigh siar athuair ag smaoineamh ar ar dúradh. In imeacht ama, chuir teas agus compord na leapa leathmhíogarnach uirthi ach, má chuir féin, bhí a hintinn lán de smaointe. Shamhlaigh sí lámha beaga bána an linbh - iad feolmhar thar mar a bhí súil aici leis. Agus a bhéilín beag: an cor beag sin sna beola air nuair a chuir sé meangadh gáire air féin i ndiaidh di dinglis a chur air faoina smigín. Shíl sí go bhfaca sí rian dá hathair féin ina éadan nuair a rinne sé é sin. Nach é a hathair a bheadh sásta rian de féin a fheiceáil chomh glé sin in aghaidh a gharmhic!

Dhúisigh an smaoineamh deireanach seo as an leathchodladh í. Ar feadh roinnt soicindí, bhí ceo ar an uile ní. Cad tá fíor, cad nach bhfuil sa saol seo? Bhí sí meallta ag na smaointe; meallta ag an bhféidearthacht go raibh sé de rogha aici an páiste a choinneáil dá mb'áil léi sin. A dhiabhail, a shíl sí di féin anois, ná taobhaigh leis mar smaoineamh. Rinne sí an rud ceart; rinne, rinne, a dúirt sí léi féin arís agus arís eile. Ba mhaith an rud go ndearna sí mar a rinne, nó bheadh sí chomh tógtha leis ar deireadh is nach bhféadfadh sí scaradh leis. Ach, a Dhia, cén gnó a bheadh aici á choinneáil? Crá croí a bheadh ann ar deireadh. Go háirithe don pháiste. Gan post, ná go fiú cáilíocht aici a chinnteodh post amach anseo. Ní fhéadfadh sí leath an oiread a bheadh de dhíth ar an gcreatúirín a chur ar fáil dó. Saontacht agus díchiall a bheadh ann an linbhín a choinneáil. Leithleachas, de chineál, dáiríre.

Chas sí ar a cliathán sa leaba, amhail is go ndéanfadh an casadh sin athrú smaoinimh di chomh maith. Ní dhearna. Ar an bpáiste a bhí a hintinn i gcónaí. Páiste sise. Ise ina máthair. An taitneamh a bhainfí as é a oiliúint. An chéad bhrístín air; an chéad fhiacail; céad fhocal, céad choiscéim, céad lá ar scoil dó! Leath miongháire ar a béal agus í ag smaoineamh ar na féidearthachtaí. Ach, ina dhiaidh sin arís, leath scamall crua an réalachais é féin ar an smaoineamh agus thosaigh sí ag caoineadh. Chaoin sí go ceann i bhfad. Ba í fírinne an scéil ná go raibh an leanbh curtha uaithi aici agus, i ndeireadh an lae, cuma céard a d'airigh sí ina thaobh, b'in ab fhearr mar réiteach ar an scéal. Chuir sí a dá lámh timpeall ar an bpiliúr agus ghreamaigh chuici é agus chaoin go ceann i bhfad. Ar deireadh, nuair a stop sí, d'airigh sí míchompord an fhliuchrais in aghaidh chraiceann an leicinn uirthi.

É gar don leath i ndiaidh a deich anois. Dá gcuirfeadh sí an teilifís ar siúl athuair is cinnte go mbeadh Sharon Ní Bheoláin agus *News Two* ann lena hintinn a phriocadh níos mó fós, len í a ghriogadh, díreach mar a rinne an dá chlár eile úd ó chianaibhín.

Ní raibh sí in ann ag tuilleadh suaitheadh intinne ag an bpointe sin. Níor chuir sí an clár ar siúl. Ach ba bheag an faoiseamh a tháinig chuici mar sin féin. Bhí síol na bhféidearthachtaí curtha ag a raibh de smaointe déanta aici cheana féin. Ar altramas a thógfaí é ar deireadh, is dócha, shíl sí. Lánúin mhaith, bheadh súil aici. Chinnteodh sin compord dá linbhín. A linbhín beag soineanta neamhurchóideach, nár iarr an chéad lá riamh go dtabharfaí ar an saol seo é. Agus bean na lánúine: an mháthair. Máthair in áit máthar. Ina háit-se, dáiríre; ina háit-se! Ag tabhairt folctha, ag gléasadh, ag fáscadh, ag pógadh bhéilín binn an linbhín ar chóir di féin a bheith á phógadh!

Chaoin sí uisce a cinn go géar goirt. Tionchar an rud a bhí déanta aici a tháinig chuici; an sásamh a bhí díbrithe uaithi féin aici; an tuiscint nár leithleach mar smaoineamh aici é go raibh rud éigin aicisin le tabhairt don pháiste seo. Ach bhí an deis sin curtha uaithi cheana féin aici; bhí sé romhall le rud ar bith a dhéanamh faoi anois. Bhí sé romhall.

Sámhnéal codlata arís uirthi go ceann scaithimhín. Jim Fahy, Áine Ní Fhéinne, Sharon Ní Bheoláin agus

Bryan Dobson féin ina meascán aisteach ina brionglóidí. '*Utmost understanding*', '*cúntach tuisceanach*', '*total confidentiality*', '*563161*' isteach agus amach ina hintinn. Aghaidheanna a hathar agus a máthar, agus iad chomh sásta, ag breathnú isteach ar an leanbh sa chliabhán. Í féin á fháscadh chuici féin, ag cuimilt na gruaige boige ar chúl a chinn agus ag tabhairt 'mo stóirín beag féin' air.

Dúiseacht eile fós as manglam na brionglóide. 3.14 a.m. ar an gclog-raidió taobh leis an leaba. Na smaointe a bhí ag ealaín lena hintinn fós úr beo ina cuimhne aici. Éirim an mháithreachais múscailte anois inti ar bhealach nár chuimhin léi cheana. Féinmhuinín ginte inti ag na smaointe seo agus creideamh leis, a chuir ar a súile di nárbh é an rogha a bhí déanta aici an t-aon cheann a bhí ann di; go mb'fhéidir go raibh sé fós de rogha aici cúrsa eile a ghlacadh, go mb'fhéidir nárbh é ab fhearr ar chor ar bith an páiste a chur uaithi mar a rinne.

D'éirigh sí. Ba é an chéad uair as an leaba di é ó d'fhág sí a linbhín i dtearmann sábháilte an tséipéil i ndorchadas rúnda na maidine roimhe sin. Chaith sí uirthi fallaing sheomra agus bhreathnaigh ar an gclog arís: 3.27 a.m. faoi seo. Mura raibh dul amú éigin uirthi ba ag an am céanna, go baileach, a chuir sí a maicín beag uaithi. É lá iomlán imithe uaithi anois. Imithe óna mháthair.

Thíos staighre, chuir an caife beocht éigin ina colainn athuair. Isteach sa seomra suí léi. Bhí grianghraif éagsúla an teaghlaigh ar paráid ar mhatal an tseomra. Í féin agus Andrea, go príomha, a bhí iontu. D'ardaigh sí grianghraf d'Andrea agus í ina leanbh óg. Níos lú ná bliain d'aois, shíl sí, agus í ag breathnú ar na ngrianghraf. Miongháire ar a béal - chun an grianghrafadóir a shásamh, b'fhéidir! Cor ar na beola mar ba chuimhin léi a bheith ar bhéal a hathar. Ar bhéal a linbhín féin, go deimhin. Na deora go hard sna súile uirthi agus, go tobann, shil deor anuas ar ghloine an fhráma. Rinne Ursula an fliuchras a thriomú le muinchille a héide codlata. Leag sí ar ais an grianghraf agus chaith siar an cupán caife. B'fhearr di codladh na hoíche a fháil di féin. Bheadh iomlán a cuid fuinnimh uaithi i Stáisiún Gardaí Shráid an Mhuilinn ar maidin.

cathú

Cathú

Dhá bhliain is an taca seo, nach mór, is ea d'éirigh sé as na capaill. An 25ú Márta, chun a bheith iomlán cruinn faoi. B'in an lá deireanach dar chuir Alan Ó Ceallaigh pingin ar bith ar chapall. Geall £400 a leag sé an lá úd. Ní dhéanfadh sé dearmad go deo air. Staigín d'ainmhí darbh ainm *Up and At 'Em* a bhí ann. Corrlach beag ar an gcapall céanna: trí in aghaidh a haon a fuair Alan air an lá sin. Faoin am a thosaigh an rás, bhí sé tagtha isteach go 5/2. Nárbh é Alan a bhí sásta go bhfuair sé ar phraghas na maidine é. Bhí sé ag faire air go dílis ó chonaic sé ag rith den chéad uair é i Sedgefield thart ar bhliain roimhe sin. Ó shin i leith, ba ag dul i bhfeabhas a bhí an t-ainmhí. Bhí Alan cinnte de gurbh é an lá seo i Kempton ab fhearr a d'fheilfeadh dó. Bhí triomacht san fhód agus ba bhuaiteoir cheana ar an ráschúrsa céanna é.

Ba chuma ar deireadh, ar aon nós, cén praghas a fuair sé air, ba é an cás céanna é. Staicín de staigín a rinne *Up and At 'Em* de féin an lá sin agus gan ach an dá chliath dheireanacha le léim aige. Ní fhéadfadh Alan é a chreidiúint nuair a thit sé. D'fháisc sé duillín an gheallghlacadóra chomh daingean sin ina lámh gur bheag nár tharraing sé fuil na boise le hionga na corrmhéire air féin. B'in an lá ba mheasa riamh dó. Ceithre chéad punt caillte ar an gcunús d'ainmhí! Cén chaoi a n-inseodh sé do Sandra nach raibh aon phá seachtaine aige di an Aoine sin.

Lá cinniúnach ba ea é dáiríre, agus anois, agus é ag breathnú siar air, níorbh aon drochrud é. Bhí an t-ádh leis nár chaill sé a phost i bhfad roimhe sin i ngeall ar an oiread sin isteach agus amach as an mbeár a bhí ar siúl aige; é ag fágáil cúram an chuntair faoin bprintíseach óg a bhí istigh ar chúrsa *CERT* ag an am, a fhad agus a bhí seisean istigh i siopa Stanley nó i siopa Coral. Murach chomh tuisceanach agus a bhí an Dáibhíseach - an fear ar leis an teach tábhairne - is mó ná airgead seachtaine a bheadh caillte ag Alan; bheadh sé gan post ar fad.

Cúrsa míosa in Aonad Rutland a chuir an Dáibhíseach air a thabhairt air féin. É sin nó rogha aige an post a chaitheamh san aer ar an bpointe. In aois an dá scór, agus cúram triúr clainne agus bean chéile air, ní fhéadfadh sé maireachtáil go sásúil ar a bhfaighfeadh sé ar an dól. Bhí sé beannaithe, dáiríre, go raibh an Dáibhíseach chomh maith dó agus a bhí, arae d'íoc sé ar feadh an ama é le linn dó a bheith thuas san Aonad Rutland. Buíochas le Dia nár airigh sé aon chathú go fiú an leathphingin féin a chaitheamh ar na hainmhithe mallaithe céanna ó shin.

Ba é Aonad Rutland a rinne a leas, gan dabht dá laghad. Roimhe seo, ní raibh greim ar bith ag Alan bocht air féin: é ina ghiall, faoi ghreim gránna ag an gcearrbhachas. Níorbh é gur chuma leis; níorbh ea, go deimhin, ach ar fáth domhínithe éigin, ní fhéadfadh sé gan teannadh leis an nós, cé gur mhinic agus mionmhinic ar fad a rinne sé rún éirí as. Ach bhí síol doshásaithe éigin sa diabhal bocht nárbh fhéidir leis a smachtú. Síol, a dúirt siad leis nuair a chuaigh sé isteach sa Rutland, nárbh fhéidir a dhíbirt ar fad, ach a bhféadfaí a cheansú. Bhí sé á chreimeadh, á ídiú, á luascadh soir is anoir de réir a thola féin. Agus ba sa bhaile, thar áit ar bith eile, a bhí drochthoradh an nóis le feiceáil: troscán ceart de dhíth orthu; iad gan charr, gan teileafón, murab ionann agus na comharsana thart orthu; airgead na dturas scoile de dhíth orthu; agus, b'fhéidir gurbh é ba mheasa ar fad agus ba dhéine orthu ná na huaireanta úd nuair nach mbíodh an bia féin ar chlár acu.

Ar aon chaoi, bhí sin go léir thart anois, agus buíochas mór le Dia gur thart a bhí sé. Bhí sé dhá bhliain ó chuaigh sé i ngar do cheann ar bith de na hainmhithe ceathairchosacha sin. Tarraingt dá laghad ní bheadh ag capall air arís i gcomparáid le tarraingt shuaimhneas an tsaoil aige. Don chéad uair riamh, i mbliana, bheadh saoire clainne acu. Coicís faoin ngrian i Mallorca na Spáinne aige féin, ag Sandra agus na páistí i rith saoire scoile na Cásca. Bhí sé chomh sásta leis féin lena raibh de mholadh tugtha ag Sandra dó as chomh maith agus a d'éirigh leis an t-airgead a chur le chéile faoina choinne. Inniu féin a d'íocfadh sé fuílleach an airgid leis an nGníomhaire Taistil. Ar ndóigh, bheadh air an beár a fhágáil ar feadh deich nóiméad, nó mar sin, chun sin a dhéanamh, ach b'in fáth ar leith. Chuir sé a lámh siar ar phóca tóna an bhríste agus d'airigh sé an burla nótaí airgid a bhí aige ann.

"Dhá phionta eile ansin, a Alan, le do thoil," a

bhéic duine den bheirt fhear a bhí i gcomhluadar a chéile thíos ag ceann an bheáir.

"Togha, a Learaí," arsa Alan, agus leag sé gloine faoin sconna *Smithwicks* agus ceann eile faoin sconna *Harp*.

Cúrsaí na gcapall a bhí á bplé ag an mbeirt thíos, bhí Alan cinnte de. Fir mhóra rásaíochta ab ea iad agus dóthain ina bpócaí i gcónaí acu le go bhféadfaidis a bheith ina bhun. Tháinig Alan chucu leis na deochanna agus, go deimhin, na capaill a bhí faoi chaibidil acu gan bhréag ar bith.

"Sin nóta nach leagfar ar dhroim eich, ar aon chaoi," arsa Learaí, agus é ag síneadh nóta an chúig phunt chuig Alan.

"Óra, muise, agus b'fhéidir gur mar sin is fearr," arsa Alan, agus ghlac sé an t-airgead uaidh.

"An ndearna tú aon mhaith i *Cheltenham* go fóill, a Alan?" a d'fhiafraigh Learaí de. Tháinig meangadh leathan ar bhéal Alan agus é ag baint na sóinseála as an scipéad airgid. Chas sé ar ais chucu agus leag na boinn ar an gcuntar os comhair na beirte.

"Go deimhin, ní dhearna ná maith, agus ní dhéanfaidh, ach an oiread," arsa Alan, agus bhí mórtas ina ghlór, "arae, tá sé gar don dá bhliain ó chuir mé an phingin rua féin amú ar an gcraic chéanna."

"Muise, mar sin é! Bhuel, *fair play* dhuit," arsa an dara fear. Tom a bhí air, shíl Alan, cé nach raibh sé iomlán cinnte de sin.

"Dhá bhliain go baileach ag deireadh na míosa seo," arsa Alan, agus chuir sé leathuillinn ar chiumhais an chuntair. "Agus déarfaidh mé an méid seo libh: mura ndéanaim rud ar bith eile arís i mo shaol, beidh mé sásta go deo go ndearna mé an méid sin féin."

"Bhuel, go dtreise Dia do dhúthracht," arsa Learaí leis, "ach, mar sin féin, caithfidh mé a rá, agus an lá atá ann inniu, nárbh fhearr rud a dhéanfadh fear ná sláimín deas a chur ar an gceann Francach, The Fellow, sa Gold Cup tráthnóna, go fiú má tá sé de rún aige fanacht amach ó na staigíní."

Chaith Alan a chloigeann san aer agus rinne gáire faoina dúirt Learaí leis.

"Bhuel, murab in í an fhírinne ghlan, níl Dia ar bith ann in aon chor," arsa Tom, agus é ag cur a ghutha le gaois a charad.

"Ó fágfaidh mé agaibh é, a fheara, bhur saibhreas a dhéanamh air," arsa Alan, agus bhog sé leis amach uathu síos go ceann eile an bheáir agus thosaigh ar bhailiú na ngloiní thíos ansin.

Shleamhnaigh an mhaidin léi isteach ina tráthnóna agus, in imeacht ama, d'imigh beirt úd na rásaíochta leo agus níorbh fhada gur tháinig beirt nó triúr éigin eile ina n-áit. Faoin am seo bhí Dara, comhoibrí Alan, sa bheár chomh maith. Bhí floscadh am lóin curtha díobh acu agus deis anois acu féin greimín beag a ghlacadh taobh thiar den chuntar, sula dtosódh girle guairle an tráthnóna.

"Leathuair tar éis a dó! Féach, a Dhara, teastaíonn uaimse bualadh amach chuig Abbey Travel ar ball beag. Tá fuílleach an airgid ar an tsaoire sin le híoc agam agus b'fhearr liom é a bheith déanta sula mbíonn brú an tráthnóna orainn," a d'fhógair Alan.

"Óra, *away* leat. Má thagann róbhrú orm,

cloisfidh tú an scréach uaim ar foluain ar an aer chugat thíos i Sráid na Mainistreach."

Rinne siad beirt gáire. Bhí siad ceanúil ar a chéile agus, d'ainneoin bhearna aoise fiche bliain nó mar sin eatarthu, ba mhaith mar a d'oibrigh siad le chéile ón gcéad lá riamh. Chuir siad spéis i saol a chéile - Alan go minic ag fiafraí de Dhara cén chaoi a raibh ag éirí idir é agus pé cailín a mbeadh sé ag siúl amach léi ag an am. É sin, nó cén sórt dul chun cinn a bhí á dhéanamh ag an bhfoireann lenar imir sé i Léig Shinsearach Laighin. Agus Dara féin - cheapfá gurbh é a shaoire féin i Mallorca a bhí i gceist, bhí an oiread sin spéise léirithe aige inti ó luaigh Alan an chéad lá riamh í. Thuig sé an tsaoire a bheith tuillte ag Alan agus go ndéanfadh an ghrian Bhailéarach leas a charad, i ndiaidh dó a bheith faoi cheangal, lá i ndiaidh lae, in ionathar na cathrach.

Deich chun a trí a bhí ann nuair a d'éalaigh Alan amach as an mbeár agus síos leis láithreach thar an Adelphi agus an Independent, agus é ag déanamh ar cheann na sráide, áit a mbuaileann sí le Sráid Uí Chonaill. Bhí borradh faoin gcathair, mar ba ghnách ag an tráth sin den tráthnóna - bonnáin na gcarranna ag séideadh ar a chéile, daoine ag deifriú leo i ndiaidh na mbusanna nó ag iarraidh an cosán a bhaint amach arís sula leagfaí iad ag otharcharr éigin a bhí ag rásáil leis chuig ionad timpiste ar an taobh eile den chathair.

Ag druidim le hoifig an Ghníomhaire Thaistil ar Shráid na Mainistreach Láir a bhí Alan nuair a chas sé ar an Dáibhíseach.

"Dhá nóiméad á ngoid agam uait, a Mhike, chun an tsaoire a chinntiú san áit thíos," arsa Alan, mar mhíniú ar é a bheith imithe as an mbeár.

"Óra, togha, a Alan, a bhuachaill. Tá sin togha. Tá rud amháin cinnte ar aon chaoi," arsa an Dáibhíseach, agus bhreathnaigh sé i dtreo spéir liath an Mhárta, "ní bheidh ort cur suas leis an diabhal seo de bhrádán geimhridh agus tú i do luí faoi ghrian na Spáinne." Agus d'imigh sé leis ag gáire agus é ag rá le hAlan go bhfeicfeadh sé ar ball é.

Ó am go chéile, agus é ag rith leis, leag Alan a lámh ar an mburla airgid i bpóca tóna a bhríste chun a chinntiú dó féin go raibh sé ann i gcónaí. Nárbh é an diabhal ar fad é dá gcaillfí ar bhealach tuaipliseach éigin é tar éis a raibh de chruatan curtha aige air féin chun é a shábháil! Beag an baol dó - bhí sé ann ceart go leor.

É tagtha chomh fada le ceann scríbe anois agus bhí sé ar tí casadh isteach i bpóirse an fhoirgnimh nuair a bhuail sé le hÉanna Mac Donncha, fear a mbíodh sé ag gabháil de na capaill leis nuair a bhíodh Alan ag cur spéise iontu. As siopa an gheallghlacadóra a bhí ar dheis in aon phóirse le hoifig an Ghníomhaire Thaistil a bhí seisean ag teacht.

"Ara, Alan, a mhac, is fada an lá nach bhfaca mé tú," ar sé, agus shín a lámh chuige.

"Bhuel, d'fhéadfá a rá, a Éanna."

"Aon bhlas ag tarlú leis na capaill duit?" a d'fhiafraigh Éanna de.

"Óra, muise níl ná blas, agus ní bheidh, ach an oiread," arsa Alan leis, agus mhínigh sé a chás dó i mbeagán focal.

"An ndeir tú liom é! Bhuel, tuigim duit, Alan,

tuigim duit, cé, thar lá ar bith riamh, gur mór an trua
é gurb amhlaidh atá. Tá ceann sa Gold Cup
tráthnóna, é ag teacht go speisialta ón bhFrainc, agus
nuair a cumadh an focal 'cinnteacht' an chéad lá
riamh, ba don ainmhí seo a cumadh é, gan dabht dá
laghad. The Fellow atá air, agus mura bhfágann sé an
chuid eile i bhfad ina dhiaidh, beidh mé sínte le
hiontas," ar sé.

"Mar sin é?" arsa Alan. Ba mhó gur bealach aige
é chun an t-ábhar a chur uaidh ná ligean d'fhiosracht
ar bith i dtaobh an chapaill greim a fháil air. Nár
thráthúil mar sin féin é, shíl Alan dó féin, gurbh é an
capall ceannann céanna é is a bhí luaite ag an mbeirt
sa bheár ar maidin.

D'imigh Éanna leis gan mórán eile a rá, ach má
d'imigh, bhí rian na fiosrachta fágtha ina dhiaidh in
intinn Alan aige. Sheas sé sa phóirse, é idir an dá
dhoras. Samhlaigh sin! The Fellow! An capall
ceannann céanna, agus iad uile chomh cinnte de go
mbéarfadh sé an lá leis. Meas tú, cé aige a raibh sé!
Ní ag Mick O'Toole, nó Pipe, nó Johnjo, nó ag duine
ar bith den ghnáth-dhream a bhí sé más ón bhFrainc a
bhí sé ag teacht! Ach bheadh airgead mór air gan
dabht, go háirithe agus é ag cur an aistir sin air féin.
Ní gan fáth a dhéanfaí sin. Bheadh duine de na
marcaigh mhóra air go cinnte. Adrian Maguire,
b'fhéidir - nó Charlie Swan, seans. Nó Dunwoody, go
fiú! Chuirfeadh sé an-bhior san imeacht dá mba é
Dunwoody a bhí air. Bhí cloiste ag Alan mar chaint
ag custaiméirí sa bheár go raibh an-chomórtas idir
Maguire agus Dunwoody i mbliana le haghaidh na
Craoibhe Marcaíochta. Ach ba chruthú ann féin é ar

cé chomh scartha amach ó na capaill is a bhí sé a laghad eolais is a bhí ag Alan orthu na laethanta seo. Ní raibh a fhios aige, go fiú, go raibh Dunwoody ar fionraí thar thréimhse *Fhéile Cheltenham*.

Bhí an seanfhiabhras ag fáil greama ar Alan, ach níor aithin sé mar sin é. Ní raibh ann ach seaniarsma, dar leis, ach bhí a fhios aige go raibh an tinneas a bhí air go hiomlán faoi smacht aige. Bhí sé in ann glór John Mc Crirrick a chloisteáil ar Chainéal a Ceathair istigh. Leath miongháire ar a bhéal. Ba charachtar é an Mc Crirrick céanna, gan dabht ar bith. Ní dhéanfadh sé aon dochar bualadh isteach ann nóiméad nó dhó, féachaint cé ar díobh é an capall iontach seo; súil a chaitheamh ar leathanaigh rásaíochta na nuachtán a bheadh in airde ar an gclár taispeántais. Ní bheadh ann ach isteach agus amach. Chuir sé a lámh lena phóca tóna uair eile fós agus d'airigh an burla nótaí ann. Leis sin, chuir sé cos thar thairseach, fuair an boladh sainiúil úd a bhíonn i ngach siopa geallghlacadóra, agus isteach leis i gcroílár na dála.

Beidh uaireanta ann amach anseo, ag quizeanna boird agus ar ócáidí dá sórt, agus cuirfear an cheist 'Cén capall a bhuaigh an Gold Cup i Cheltenham i 1994?' Agus is cinnte go mbeidh Alan Ó Ceallaigh ar dhuine de na daoine is túisce a bheidh in ann é sin a fhreagairt.

imeallach

Imeallach

'My thoughts today, though I'm far away,
Dwell on Tír Chonaill's shore,
The salt sea air and the colleens fair
Of lovely green Gweedore.
There's a colleen there beyond compare,
That I'll treasure evermore,
She's a grand colleen in her gown of green,
She's the...'

"Heileo! An bhfuil tú ansin, a Bhridie? Heileo, a Bhridie, mé féin atá ann - Deirdre."

D' éirigh Bridie as an gcanadh a luaithe agus a chuala sí glór Dheirdre. Chuir sí buidéal na biotáille meitilí isteach faoin seanbhosca cairtchláir a bhí mar chlúdach uirthi agus dhírigh í féin beagán fá choinne teacht na mná óige.

"A Bhridie, cad é mar atá tú?" arsa Deirdre, ar theacht isteach di sa seanfhothrach de sheid a bhí mar áitreabh ag Bridie Bonner le breis agus trí seachtainí anois. B'iontach an fad ama a bhí faighte as an áitreabh seo aici, arae ba é an gnás a leithéidí a ruaigeadh as áit in imeacht na céad seachtaine ann dóibh.

Bean trí scór bliain d'aois, nó trí scór go leith ab

ea Bridie Bonner, cheapfá. Nó Bridie Doherty-Bonner, mar a deireadh sí féin tráth. Dochartach de bhunús na Rossa í ó thus, ach bhí sí i mBaile Átha Cliath ó lár na seascaidí, nó mar sin. Ba ann, go deimhin, a chas sí ar a céadsearc, Liam. É ag obair sa Roinn Eacnamaíochta ag an am. Státseirbhíseach díograiseach, coinsiasach ba ea é, a raibh todhchaí mhaith roimhe, ba chosúil. Phós siad in imeacht bliana dá gcéadchasadh ar a chéile. Bliain ina dhiaidh sin agus rugadh an chéad pháiste dóibh - mac. Liam Óg a thug siad air. In 1969 rugadh an dara páiste. Linbhín beag gleoite ar thug siad Saoirse uirthi, i ngeall ar na trioblóidí a bheith ar gor sa Tuaisceart ag an am. Beag a cheap sí ag an am go mbeadh trioblóidí dá cuid féin aici faoin am go dtiocfadh deireadh leis na seachtóidí.

An chéad lá de mhí na Nollag 1979 sea shiúil Liam an doras isteach agus d'fhógair go raibh ailse air. Toitíní ba chúis leis go príomha, shíl siad, nó murarbh ea, diabhal a dhath de chuidiú a thug siad dó. Bhí siad cróga ag an am. Throidfidis an galar le chéile. 'Clann aontaithe' an mana tí a bhí acu ag an am. Clann aontaithe! Ba bheag a cheap siad gur clann aontaithe lagaithe a bheadh iontu faoin am a bheadh dhá bhliain eile thart. Mí na Samhna 1981. Ní fhaca Liam bocht an athbhliain féin.

"Anraith deas tiubh anocht agam, a Bhridie," arsa Deirdre léi. "Neart glasraí ann agus é breá te."

Thóg Bridie an babhla uaithi agus thosaigh isteach ar an mbiatachas. Ba é an t-aon rud a bhlais sí ó bhí Deirdre chuici an oíche roimhe sin. Bheadh sé slogtha siar cheana féin aici murach é a bheith chomh te agus a bhí.

"Mmm! Blasta! Blasta ceart go leor," ar sí, agus bhreathnaigh sí amach ar Dheirdre thar imeall an bhabhla. Bhí rian beag mire sna súile aici - iad mar a bheadh súile an bhroic nuair a chúlaítear cois claí é. Ansin leath miongháire ar a béal leis an mbean óg. "Bail ó Dhia ort, a Dheirdre," ar sí, "tá tú an-mhaith, a chroí. Íocfar an comhar leat ar Neamh, bí cinnte de; bí cinnte de." Agus chrom sí bonn láithreach ar a raibh sa bhabhla.

"Tóg go réidh é, a Bhridie - go réidh, a stór. Tá fad na hoíche agat," arsa Deirdre. Ba bhean óg í Deirdre - Baile Átha Cliathach a raibh an tríú bliain i gColáiste na Tríonóide curtha di aici. Seans ann ag deireadh na bliana seo go mbeadh uirthi éirí as 'Camchuairt an Anraith' le SIMON agus aghaidh a thabhairt ar an mBreatain Mhór nó ar Mheiriceá chun fostaíocht a fháil di féin.

"Tá do mhac thar lear, a Bhridie, nach bhfuil?"

Ní dhearna Bridie ach a cloigeann a chroitheadh agus lámh a shíneadh i dtreo na gceapairí agus an mhuga tae a bhí leagtha amach os a comhair ag Deirdre.

"Cá háit ina bhfuil sé, a Bhridie? Cá háit?

"Ceanada," arsa Bridie, agus níor léirigh sí ró-shuim a bheith níos sonraí ná sin.

"Is mór an áit í Ceanada, a Bhridie! Cá háit i gCeanada ina bhfuil sé?"

"Diabhal a fhios agam. Diabhal a fhios agam ó thalamh an domhain mhóir seo," ar sí, agus tháinig deora chun na súl uirthi agus bhí meacan an chaointe le cloisteáil ina glór. Chrom sí a cloigeann agus lig do na deora titim.

D'fhan Deirdre ina tost nó gur roghnaigh Bridie labhairt arís. An tagairt dá mac i gCeanada a thug uirthi an méid a bhí le hinsint aici a rá. D'inis sí mar a d'éirigh léi, faoi chruatan, rudaí a choinneáil ag imeacht nó go raibh Liam Óg agus Saoirse réidh leis an ollscoil. Ba éacht ann féin é sin, mar ba bheag é méid an phinsin a bhí fágtha ina dhiaidh ag Liam agus bhí ar Bhridie féin obair a ghlacadh i mbun glantacháin tigh chun a chinntiú go mbeadh dóthain airgid ann le go gcríochnóidis an staidéar. An t-ól a bhris an chlann ar deireadh, dúirt sí. Ní raibh sí ceart riamh i ndiaidh do Liam bás a fháil. Méid an ghrá sin sciobtha uaithi ar an mbealach sin, ní fhéadfadh duine ar bith é a sheasamh. Choinnigh sí faoi cheilt ar na páistí é ar feadh i bhfad. Ag teacht go deireadh bhliain na céime a bhí Saoirse nuair a thuigeadar nach raibh cúrsaí ina gceart ar chor ar bith; go raibh an t-ólachán ar siúl le tamall fada agus go raibh sé imithe chomh fada sin is go gcaithfí rud éigin a dhéanamh faoi. Ach dhiúltaigh Bridie don uile chúnamh. Ní raibh an fuinneamh inti tabhairt faoin leigheas a chuardach. Níor theastaigh uaithi leigheas a chuardach. Ba é an t-aon rud a bhí uaithi ná an rud nach bhféadfadh sí a bheith aici: a Liam féin ar ais aici. Chinnteofaí sin di, ar a laghad, dá leanfadh sí den ólachán mar a bhí.

Ba chun donais a d'imigh an t-ólachán agus b'fhaide óna chéile a d'imigh sí féin agus na páistí dá réir. In imeacht ama d'imigh Liam Óg leis go Ceanada agus tásc ná tuairisc níor chuala sí air ina dhiaidh sin. A haonmhac féin dá ndearna sí gach

sclábhaíocht le go mbeadh deiseanna sa saol aige.
Agus Saoirse, an iníon. I mBré a bhí sise anois,
chomh fada agus ab eol di. Phós sí dlíodóir agus, go
bhfios do Bhridie, bhí beirt clainne anois uirthi -
buachaill agus cailín - díreach mar a bhí aici féin agus
Liam.

"Cá háit i mBré, a Bhridie?" a d'fhiafraigh
Deirdre di. Ba leasc léi cur isteach ar an gcaint uirthi
go dtí seo, mar d'airigh sí gurbh é leas Bhridie é an
méid a bhí istigh a ligean amach.

"Muise, a stóirín gheal, níl tuairim ná an leath-
thuairim féin agam." Bhreathnaigh sí sna súile ar
Dheirdre agus í á rá sin, agus shíl Deirdre ar feadh
soicind go bhfaca sí splanc bheag dóchais i súile na
seanmhná.

"An bhfuil a fhios agat cén sloinne atá anois
uirthi?" a d'fhiafraigh Deirdre di. Bhí sé mar
smaoineamh i gcloigeann na mná óige go mb'fhéidir
go bhféadfadh sí ainm iníon Bhridie a aimsiú san eolaí
teileafóin, nó in áit éigin dá shórt, agus go mb'fhéidir
go bhféadfaí iad a thabhairt le chéile arís. Ní raibh a
fhios aici ar chóir di an smaoineamh seo a lua leis an
tseanbhean nó arbh fhearr cúrsaí a fhágáil mar a bhí.

"Ar mhaith leat, a Bhridie, go ndéanfainn iarracht
ar d'iníonsa a aimsiú duit, le go gcásfá uirthi?"

Thosaigh Bridie ag caoineadh athuair. An babhta
seo, bhí an caoineadh fada agus trom agus lig Deirdre
di a cúrsa a rith.

"Saoirse agus Mícheál Ó Cadhain," arsa Bridie, sa
deireadh.

"Ar mhaith leat castáil uirthi, a Bhridie?" a
d'fhiafraigh Deirdre di arís eile. Chroith Bridie a

cloigeann agus labhair trí na deora.

"Níor mhaith," ar sí. "Níor mhaith liom ach an teach ina bhfuil sí a fheiceáil. Sin an méid, sin an méid," agus tháinig tréanú ar an ngol arís uirthi. Lig Deirdre di arís fad an chaointe a dhéanamh, agus nuair a chiúnaigh sí athuair, ar sí:

"Ar mhaith leat, a Bhridie - amárach abair - go nglacfaimis an DART as Dún Laoghaire agus dul amach go Bré? D'fhéadfainn seoladh d'inínese a aimsiú san eolaí teileafóin, b'fhéidir, agus d'fhéadfaimis dul ag breathnú ar an teach dá mb'áil leat sin. Níor ghá níos mó ná sin a dhéanamh, mas in é is toil leat. Céard a cheapfá, a Bhridie, hmm?"

D'ardaigh Bridie a cloigeann athuair agus rinne solas an lampa a bhí tugtha léi ag Deirdre damhsa i súile na seanmhná. Bhí idir dhóchas agus áthas le feiceáil ina haghaidh agus b'fhacthas do Dheirdre den chéad uair riamh gur bean dhathúil í an bhean uasal seo.

"Ba mhór liom sin. Ba mhór agam é sin," arsa Bridie, agus d'fháisc sí lámha na hógmhná le teann buíochais.

Bhreathnaigh Deirdre suas síos ar ardán stáisiún traenach Dhún Laoghaire maidin lá arna mhárach. Deich chun a dódhéag! Bhí Bridie uair an chloig mall, nach mór. Bhí an chosúlacht air nach raibh sí chun teacht ar chor ar bith. Shíl Deirdre dul suas go háitreabh Bhridie taobh thiar den seangharáiste ar Shráid Mulgrave. B'fhearr gan, shíl sí ansin. Seans gur tháinig athrú intinne ar an tseanbhean agus, más amhlaidh a bhí, ba é an rud ba dheireanaí ar chóir do

Dheirdre a dhéanamh ná a bheith ag géarú uirthi ar bhealach ar bith. Ar chaoi ar bith, nach bhfeicfeadh sí níos deireanaí anocht í.

Ní raibh *The Rose of Aranmore* ná ceol ar bith eile dá shórt le cloisteáil agus Deirdre ag druidim le háitreabh Bhridie an oíche sin. Ní raibh ann ach tochailt ionga francaigh áit éigin faoin gcairtchlár faoinar luigh Bridie Doherty-Bonner fuar marbh taobh lena buidéal biotáille.

dúchas

Dúchas

Bhí sé ina raic arís ar feadh na hoíche aréir: athair
Phóil ar an ngnáthchnáimhseáil chealgach i ndiaidh
dó teacht isteach ón teach tábhairne. Saighdeadh a
bhí ar siúl aige ar dtús, ar ndóigh. Níorbh aon ní eile
ag an bpointe sin é. Níor mar an gcéanna ar chor ar
bith é an t-athair nuair a bhí an braon istigh aige.
Duine taitneamhach, gealgháireach - greannmhar, go
deimhin - ab ea é gan an t-ól, ach a luaithe agus a
bhlaisfeadh sé de thiocfadh claochlú colgach air. É
difriúil ar fad. Naimhdeach. Achrannach. Bruíneach.

D'fhan Pól ina shuí lena mháthair sular tháinig an
t-athair. Ba mar sin i gcónaí acu é. Iad ag coinneáil
comhluadair lena chéile. In imeacht na mblianta, ar
oícheanta dá sórt, ní labharfaí riamh go hoscailte ar
fhadhb an athar, ná ar an trioblóid a ghin an t-ól idir
é agus an mháthair. Ní go díreach, ar aon chaoi, ach
ar bhealach neamhdhíreach éigin, thagraíodh an
mháthair dó i gcónaí.

"Cibé a dhéanann tú, a Phóil, nuair a bhuaileann
tú amach leat féin sa saol, fan amach, in ainm De, ón
diabhal ólacháin sin. Ní bhíonn de thoradh riamh air
ach an trioblóid agus an crá croí."

Trioblóid agus crá, go deimhin. Bhí an bhean

bhocht ina saineolaí ar an dá ghné sin den saol. Seacht mbliana déag de a bhí curtha di anois aici, gach aon bhliain díobh níos faide ná an ceann a d'imigh roimhe.

"Nuair a fhaigheann tú bean duit féin, bí cinnte de go gcaitheann tú léi mar is cóir. Bí mánla léi, tuisceanach. Ara, céard tá á rá agam," ar sí, agus bhain croitheadh aisti féin, "céard eile a dhéanfá ach sin, agus tú chomh séimh is atá tú. Ní hionann tú agus...", agus chuir sí stop uirthi féin ar a thuilleadh a rá.

Ar ball, nuair a tháinig an t-athair, bhailigh Pól leis chun na leapa agus d'fhág an bheirt i mbun comhrá lena chéile. Comhrá! Huth! Saighdeadh.

Bhí seomra Phóil os cionn an tseomra suí agus ba dheacair riamh dó é oiread agus an leathfhocal féin den saighdeadh céanna a chailliúint. Bhí bulaíocht shiceolaíoch ag dul leis agus chráigh sin é. D'ainneoin go gcuirfeadh sé an clog-raidió ar siúl ina sheomra codlata, d'fhéadfadh sé an saighdeadh a chloisteáil aníos chuige fós. Saighdeadh. Saighdeadh agus orduithe. Orduithe go deimhin: "Beidh mo dhinnéar agam nuair atá an chéad channa eile ólta agam!" B'in ceann de na horduithe ab ansa leis an athair. A Chríost! - dinnéar ag meán oíche, tar éis dá mháthair é a réiteach na huaireanta a' chloig roimhe sin 's gan a fhios aici arbh í seo ceann de na hoícheanta a thiocfadh sé abhaile lena haghaidh nó nárbh ea. Is dá mbeadh an bia fuar ar fáth ar bith - ábhar raice. 'S dá mbeadh sé seargtha ag an teas... níos measa fós. Bulaí de dhuine. Collach.

Ach b'í an oíche aréir an ceann ba mheasa lena

chuimhne. Ní hé nár bhuail sé cheana í - bhuail, agus
go minic go deimhin - ach, ar fáth éigin an uair seo,
luigh sé níos troime ar Phól. Seans gur mheascán de
rudaí ba chúis len é a bheith níos measa: é buartha,
b'fhéidir, faoi thús scrúdú na hArdteistiméireachta i
gceann trí seachtainí; é feargach faoi na deiseanna
rialta staidéir a bhí caillte aige i ngeall ar ólachán an
athar; é corraithe go ndéanfaí feall mar sin ar bhean -
ar a mháthairse.

I lár na hoíche sea dhúisigh sé. Iad ag achrann
lena chéile sa seomra taobh leis. An ghnáthdhrochíde
ar siúl 's gan ag a mháthair ach an corr-ráiteas
giorraisc leis nuair a bhrisfí ar an bhfoighne uirthi.
Geábh de sin sular bualadh í. Aon bhuille bascach
amháin. Ba leor sin len í a chur ina tost; ba leor sin
chun saobhadh an athar a shásamh.

É ina thost ansin. An uile ní ina thost. An uile ní
ach intinn Phóil. Ag rásaíocht léi a bhí sí. Fearg ar
an bhfear óg leis an bhfear seo a bhí mar athair aige;
fearg air leis an gcruatan a bhí tite ar a mháthair;
fearg air leis féin nach raibh sé ina nádúr aige aghaidh
a thabhairt ar bhrúidiúlacht an chráiteora.

"Ró-shéimh, ró-shéimh atá tú, a bhuachaill. *By
dad*, ach foghlaimeoidh tusa, in imeacht ama, mar is
cóir duit a bheith."

Ba chuimhin leis an t-athair á rá sin leis lá.
Níorbh é go raibh aon mheas aige ar thuairimíocht an
athar, ach, agus é ina luí ansin ar a dhroim sa
dorchadas, thuig sé gurbh í an tséimhe chéanna a
chuir cosc air déanamh mar ab áil leis. Oíche eile
codlata caillte air. Chorraigh sé sa leaba, chas ar a
chliathán agus d'airigh fliuchras na ndeor á neadú

féin idir leiceann agus piliúr.

Nuair a dhúisigh sé ar maidin bhí an áit ina ciúin.
B'fhéidir gur cailleadh codladh na hoíche air ach, ag
pointe éigin in uaireanta liatha na maidine, caithfidh
gur tháinig néal an tsámhnais aniar aduaidh air agus
gur chodail sé scaitheamh. 11.09 a.m. de réir an
chlog-raidió le hais na leapa. A thiarcais! An
mhaidin scoile thart, nach mór. Ní fiú dul isteach ar
chor ar bith ag an bpointe seo. Gan aige i ndiaidh
lóin ach an t-aon cheacht amháin - Fraincis. Níor
ghá, dáiríre - bhí sé slán go maith sa bhFraincis.

As an leaba leis. Cuimhní na hoíche aréir ar
cuairt arís chuige. An fhearg. An frustrachas. A
mháthair. A mháthair shéimh. Aoine inniu: bheadh
sí istigh go luath ón obair. Chuirfeadh sé slacht ar an
áit sula dtiocfadh sí. Bhí sé dona go leor go raibh
uirthi dul amach ar maidin agus teach duine éigin eile
a ghlanadh. Bheadh an áit ina seoid aige di nuair a
shroisfeadh sí baile. D'fhéadfaidis beirt suí ansin agus
cupán caife a ghlacadh agus dreas comhrá a bheith
acu sula ndéanfadh seisean iarracht beagán staidéir a
dhéanamh. Ní luafaí tarlúintí na hoíche aréir, ar
ndóigh, ach b'in mar a bhí eatarthu.

Ní luann a mháthair an liúr ar ghiall uachtar a
héadain agus an caife á ghlacadh acu. Iarracht déanta
aici ar é a chlúdach - le púdar, shíl sé. Ní thagraíonn
Pól dó ach an oiread. Iad beirt ina suí go sibhialta
ansin, ag glacadh caife, ag ligean orthu nár thug
ceachtar acu aon ní faoi deara. Ach téann sé dian ar
Phól gan an feic a lua. Cur i gcéill na mblianta is cúis
len é a bheith ann. Tá an croí istigh á stróiceadh ann
agus é ag breathnú uirthi. A mháthairse. Stróiceann

sé freisin é nach bhfuil an mianach ann an scéal a leigheas; é a leigheas ar bhealach a thuigfí a bheith cuí.

"Seo seo, a stóirín. In airde staighre leat agus déan babhta staidéir idir seo agus am dinnéir. Beidh Daid san mbaile faoina 6 p.m., is dócha," ar sí.

Nuair a thagraíonn sí do Dhaid sa chaint, tá cathú soicind ar Phól an cheist uilig a tharraingt aníos agus a chur ar a mháthair aghaidh a thabhairt ar an éagóir atá á himirt uirthi. Ach ligeann sé don dara soicind an cathú sin a sciobadh uaidh arís.

"Sea, déanfaidh mé sin, is dócha. Dreas beag staidéir go dtí a 6 p.m. - is dócha."

Ach is beag staidéir a tharlaíonn thuas staighre. Tá a fhios aige mar a bhíonn. Caitheann Pól an t-am ann ceart go leor, leabhar de chineál amháin nó de chineál eile ar leathadh os a chomhair ar feadh an ama. Ach ní ar staidéar a bhíonn a intinn dírithe anois. Is é an seanscéal arís é: an bhatráil seo ag griogadh na hintinne air, á chrá, á chéasadh. Ba chuma teip san Ardteist nó in aon áit eile, ach an aincheist seo a réiteach.

Imeacht ama agus gan de staidéar déanta ach leabhar eile a chur in áit an leabhair a bhí ar an deasc roimhe sin aige. Goimh anois i smaointe Phóil. Amharc ar an gclog: 6.53 p.m. A mháthair thíos staighre i gcónaí ag fanacht ar an athair. An dinnéar curtha siar le huair an chloig cheana féin le gur féidir leo triúr ithe le chéile. Drochrath air mar athair. Drochrath air mar chéile - mar dhuine.

7.00 p.m. Síos an staighre le Pól agus isteach sa chistin leis. A Mham ann roimhe, a droim casta le

Pól aici: í gnóthach ag cumadh oibre di féin le go gcuirfidh sí an fanacht di. Casann sí agus aithníonn Pól na deora go hard sna súile uirthi. Deora na mblianta. Deora an uaignis. Deora an fhaitís. Tagann Pól chuici agus beireann barróg mhór uirthi, é ag iarraidh í a líonadh leis an misneach, leis an bhféinmhuinín atá tráite ag an gcruatan.

"Seo, a Mham, íosaimis féin agus bíodh a chuid ag Daid nuair a thagann sé."

Leathann meangadh fáiscthe ar a béal agus croitheann sí a cloigeann, ag aontú le moladh Phóil. Ansin sileann na deora uaithi ina bhfaoistin. Faoistin na mblianta. Faoistin an neamhurchóidí.

Is ar éigean a deirtear dada le linn an ithe, cé, ag an am céanna, go ndeirtear go leor. Caint na ndeor. Deoir in aghaidh gach eachtra - gach feall a imríodh ar an mbean chaoin seo le seacht mbliana déag anuas: deora faisnéise.

Ligeann Pól dá mháthair an caoineadh a chur di. B'fhada fada ag teacht é, agus, anois is é tagtha, tá gá le cead a chinn a thabhairt don rabharta.

An bord glanta ag Pól athuair agus caoi curtha ar na soithí sa chistin aige nuair a fhilleann sé le cupán caife dá mháthair. Í tite a chodladh ar an aon chathaoir shócúil atá sa seomra, 'cathaoir an athar' mar is minic a thabhairt uirthi. A cloigeann claonta ar dheis agus cuma leathshuaimhneach éigin ar a haghaidh aici. Leagann Pól uaidh an caife, baineann an phluid éadrom chróiseáilte de chúl ceann de ghnáthchathaoireacha an tseomra agus leathann go cúramach ar a mháthair í. Fáisceann sé na himill isteach idir thacaí uillinne agus cúisíní na cathaoireach. Breathnaíonn sé ar a mháthair: bean chaoin, bean uasal. Agus ardaíonn na deora í loig a shúile féin. 'Ró-shéimh, ró-shéimh atá tú, a bhuachaill,' a shamhlaíonn sé an t-athair á rá athuair.

Ró-shéimh! Séimhe na máthar, más ea. Uaisleacht na máthar. Breathnaíonn sé arís uirthi. An créatúr bocht. Fágfaidh sé ina codladh í agus rachaidh sé i mbun staidéir thuas arís.

Thuas staighre suíonn sé ag an deasc agus breathnaíonn ar an leabhar atá ar leathadh os a chomhair. *Stair na hEorpa: Feachtas Napoleon Bonaparte sa Rúis.* Má thugann sé aird ar fhíric ar bith ann sin an méid ar fad é. Tá an intinn imithe leis ar fán arís uaidh. Goimh. Ginidiú goimhe. Goimh ar fiuchadh ina intinn. Goimh leis an athair. Beag smacht ar a chuid smaointe féin anois aige. Iad neamhspleách ar fad air faoi seo. Go fiú dá dtoilfeadh sé filleadh ar an staidéar, ní fhéadfaí sin a dhéanamh ag an bpointe seo.

Cruálachas an athar ag líonadh na hintinne anois air. Brúidiúlacht an athar. Feall, drochbheart, tromaíocht - gach aon tréith a bhfuil diúltachas 'gus dúshaothrú ag gabháil leis á ceangal leis an athair aige. Goimh ina nimh anois. Nimh ina ghoimh. Tá diúltachas ina smaointe féin anois, go fiú. Agus naimhdeas. Naimhdeas dá athair féin. Idir dhéistean agus fhearg air leis an tíorántacht atá á himirt ar a mháthair. Bastard.

Gliogar na heochrach sa doras tosaigh thíos á stoitheadh as domhan an naimhdis. Caitheann Pól súil leis an gclog - a dhiabhail! 11.48 p.m. Cá ndeachaigh an oíche air? Oíche eile 'staidéir' 's gan aon toradh air. Ní luaithe an smaoineamh sin aige ach go ndíbrítear arís é nuair a chuimhníonn sé ar a mháthair. An créatúirín.

An t-athair le cloisteáil thíos anois. Saighdeadh arís, mar is gnách leis. Pól á aireachtáil féin teann agus é ag éisteacht leis. Tamall den saighdeadh thíos nuair a fhreagraíonn a mháthair don chéad uair é. Méadaítear ar an saighdeadh thíos. An dara freagra. Méadaítear ar an teannas thuas. An ghnáth-bhaothchaint ladúsach uaidh sin thíos chun an mháthair a chéasadh a thuilleadh. Pól thuas ag cuimhneamh ar na blianta den bhfulaingt a chonaic sé ag sileadh as súile na máthar ar ball. Súile máthar. Súile athar. A shúile féin. Téann Pól go dtí an scáthán chun an fhearg atá ar borradh ann a aithint. Tá deirge san éadan air agus strainc éigin air a chuireann a aghaidh ina hainriocht, nach mór. Ach na súile. Tá rud éigin sna súile air nach n-aithníonn sé féin, go fiú; rud nach bhfaca seisean iontu riamh cheana.

Méadú fós ar an saighdeadh thíos. Cuimhne shaighdeach na hoíche roimhe chun tosaigh in intinn Phóil arís. Cuimhne an bhuille úd i lár na hoíche aréir; cuimhne na mblianta fada brúidiúlachta. Amharc sa scáthán arís. Gach tréith a bhí le feiceáil san éadan níos géire fós anois. Seilbh á glacadh ag na tréithe sin ar an uile ghné dá aithne. Méadú fós eile ar an saighdeadh thíos. Cloigeann Phóil mar a bheadh sé á fháscadh idir dhá chloch. Fáscadh, fáscadh. Agus leis sin - pléascadh.

Amach as an seomra le Pól agus síos an staighre leis de phocléimeanna báltacha. Chuirfeadh seisean

deireadh le bambairneach an tí seo; chuirfeadh sé
críoch leis an saighdeadh agus leis an mbrúidiúlacht.
Timpeall ceann na mbalastar ag bun an staighre leis
agus ar aghaidh i dtreo doras an tseomra ina bhfuil
siad. Oscailt de thurraing agus cuirtear isteach go
giorraisc ar shaighdeadh an athar. Pól ina sheasamh
go dána idir an dá ursain.

"Céard sa diabhal é seo, a Phóil?" - an t-athair.

"Amach leat, a Mham," arsa Pól.

"Ach, a Phóil, a stóirín..."

"Amach anois, a Mham," ar sé.

Breathnaíonn an mháthair ar an athair, ach tá
súile an athar i gceangal le súile Phóil.

"Anois, a Mham - imigh." Agus imíonn.

Tarraingíonn Pól an doras chun dúnta tar éis
imeachta di agus féachann ar an athair arís. Tá súile
na beirte faoi shnaidhm a chéile i gcónaí. D'aon ghnó
ceadaíonn Pól do na cuimhní, don ghoimh, don nimh
- don uile dhiúltachas - a intinn a líonadh. Airíonn sé
iad uile ag líonadh na súl ann agus á dteilgeadh as sin
amach i dtreo an athar. An rud úd nach bhféadfadh
Pól a aithint ina shúile féin ar ball beag, aithníonn an
t-athair anois ann é. Don chéad uair riamh, feiceann
an t-athair rian a nádúir féin i súile an mhic. Tá fonn
air éalú as an seomra. Cúlaíonn an t-athair beagán
agus tagann Pól ar aghaidh de rúid...

ciotaíl

Ciotaíl

Seacht mbliana déag beagnach. Cé a chreidfeadh é!
Seacht mbliana déag d'aois agus gan an chéad phóg
blaiste fós aige. Ábhar frustrachais dó le fada é. É le
fada fada ag éisteacht lena chairde, idir bhaile agus
scoil, ag maíomh as a raibh de ghaisce déanta cheana
féin acu. Cailíní acu uile ó bhí siad sa dara bliain. An
uile dhuine díobh ach é. Póg! Huth, níor dada é póg
le hais a dtaithí siúd - is é sin, má bhí fírinne ina leath
dá ndúirt siad. Iad de shíor ag cur díobh fúithi seo nó
fúithi siúd a bhí go maith, nó nach raibh go maith, nó
a bhí níos fearr ná cailín amháin ach nach raibh gar
do bheith chomh maith le cailín éigin eile.

Ciúin. Ciúin go hiondúil a bheadh Dara le linn
dóibh a bheith i mbun a gcuid cainte. Corruair,
áfach, d'abródh sé rud beag suarach éigin sa chomhrá
le nach gceapfaí nach raibh sé chomh heolasach leis
an gcuid eile. B'in iad, ar bhealach, na huaireanta ba
mheasa dó, mar go ndéanfadh sé aird a tharraingt air
féin lena chaint. Ansin d'aireodh sé gurbh fhearr i
bhfad gan go fiú an méidín sin féin a rá. Rud beag
inmheánach éigin, áfach - brú de chineál - a chuir air
labhairt. Binn, b'fhéidir, béal ina thost. Ach ciúin
ciontach a deirtear ina dhiaidh sin agus uile. Ó a

thiarcais Dia, ní raibh a fhios aige ceart nó mícheart a dhéanamh.

Síneann Ailbhe an mála Wine Gums chuige.

"Ceann uait?" Miongháire uirthi. Í dathúil. Go deimhin, is rímhaith mar a thuigeann Dara chomh dathúil agus atá sí. Is ise, thar éinne eile, a bhíonn mar ábhar cainte ag buachaillí na scoile. Dá mbeadh a fhios acu gur iarr sé chun na bpictiúirí í!

"Ceann uait?" ar sí arís.

"Ní bheidh, ní bheidh - go raibh maith agat." É ciotach ina chuid cainte. *Four Weddings and a Funeral* ar an scáileán - airíonn sé nach gcuirfeadh sé go ró-láidir in aghaidh an dara sochraid, dá dtiocfadh sin i gcabhair air sa chruachás ina bhfuil sé. *Four Weddings and Two Funerals*. Hmm!

"Dhá scáileán déag, an bhfuil a fhios agat?"

"Céard é féin? Céard a deir tú?"

"Dhá scáileán déag," arsa Ailbhe don dara huair. "Sin é atá anseo i dTamhlacht acu."

"Ó, mar sin é!"

A thiarcais Dia, "mar sin é". A leithéid a rá! Nach bhféadfadh sé smaoineamh ar rud éigin ní ba shuimiúla ná sin? É á cháineadh féin ina intinn istigh anois. Cén diabhal atá air nach féidir leis comhrá réasúnta ciallmhar a dhéanamh seachas an 'mar sin é' sin uaidh? Nárbh é an chuid ba dheacra den obair ná í a iarraidh amach? Cheapfá, ina dhiaidh sin, nach mbeadh an stró dá laghad ag baint leis an iarracht. An é go bhfuil an fuinneamh chuige ídithe ag méid an uchtaigh ba ghá a mhúscailt chun í a iarraidh chun na bpictiúirí? É sin nó cúthaileacht. Cuma céard is cúis leis, feictear dó go bhfuil sé gan mhaith maidir le haon impreisean a dhéanamh uirthi.

"Níl ach deich gcinn ag U.C.I. sa Chúlóg."

" Mo leithscéal? Deich gcinn! Deich gcinn de céard?"

"Deich gcinn de scáileáin, a Dhara. An bhfuil tú ag éisteacht liom ar chor ar bith?"

"Tá. Tá." Agus bhí, dáiríre. Bhí sé ag éisteacht ceart go leor, an diabhailín bocht. Ach ní hionann éisteacht agus cloisteáil. Agus níor chuala seisean dada. Téad éigin idir fheidhm na hinchinne agus na cluasa atá briste ar bhealach éigin is cúis len é a bheith bodhar ar a cuid cainte. Mearbhall air agus ise taobh leis. In áit díriú ar an gcaint atá á déanamh aici, tá iomlán aird Dhara dírithe ar mhealltacht na mbeola uirthi, agus iad ag bogadach suas síos le dul na cainte. Iad chomh bog, chomh dearg, chomh tarraingteach. Ba mhaith leis í a phógadh. É sin agus dada eile, ach an misneach a bheith aige chuige.

"Tá sé ar siúl sa Chúlóg freisin," ar sí.

Breathnaíonn sé uirthi - ar a béal go príomha. É soiléir di nach bhfuil aon chiall bainte as a cuid cainte aige.

"*Four Weddings and a Funeral* - anseo sa Square agus sa Chúlóg ag aon am amháin."

Miongháire uaidh. Ó, ba bhreá leis boige na mbeola sin a phógadh, iad a bhlaiseadh. Samhlaíonn sé mar a bheadh ar scoil dá mbeadh a fhios acu dada faoi. Brian Ó hIfearnáin, Casanova an ranga, ag caint leis Dé Luain, b'fhéidir:

Aon chraic ag an deireadh seachtaine, a Dhara?

Ní raibh mórán, dáiríre. Mé féin agus Ailbhe ag Four Weddings and a Funeral Dé hAoine. Muid amuigh arís Dé Sathairn agus arís aréir. Seachas sin, fíorbheagán. Ach, a dhiabhail, tá mé marbh tuirseach ina dhiaidh...

agus samhlaíonn sé é féin ag síneadh an dá ghéag amach uaidh le teann tuirse.

Ailbhe! Ailbhe Ní Ríordáin?
Bhuel, cé eile, a Bhriain?
Tusa agus Ailbhe Ní Ríordáin...!

Leathann meangadh breá leathan ar aghaidh Dhara agus é á shamhlú.

"Céard is cúis leis an meangadh, a Dhara?" arsa Ailbhe.

Déanann an chaint seo uaithi an tsamhailt a dhíbirt chun na ceithre hairde. Deargann sé san éadan nuair a chuimhníonn sé go mb'fhéidir, ar bhealach diamhair éigin, gur féidir le hAilbhe an smaoineamh atá ina intinn aige a léamh. Buíochas le Dia go bhfuil an phictiúrlann ina leathdhorchadas. Murach sin, d'fheicfí deirge an éadain air - é níos deirge ná beola Ailbhe go fiú. Beola Ailbhe. Beola binne blasta Ailbhe! Ó, a Dhia!

"Céard le haghaidh an meangadh?" ar sí arís.

"Ó, dada, dada. Smaoineamh fánach a tháinig agus a d'imigh leis arís," agus ina áit tagann meangadh na cúthaileachta anois air.

"Hmm!" ar sí, agus, gan aon choinne leis, sleamhnaíonn sí a lámh thar an taca uillinne atá idir an dá shuíochán, beireann greim ar lámh Dhara agus fáisceann é. A thiarcais! Níl a fhios aige an bhfáiscfidh sé ar ais í nó nach bhfáiscfidh. Ach fáisceann ina dhiaidh sin féin, sula ligeann sé don smaoineamh ró-bhac a chur air. Agus deargann sé san éadan arís. Airíonn sé súile Ailbhe ag breathnú air, ach ní chasann seisean ina treo. Tá an dá lámh i ngreim a chéile i gcónaí. Níl a fhios aige an é sin is fearr leis nó nach ea. I gcúinne na súl feiceann sé cloigeann Ailbhe ag casadh i dtreo an scáileáin arís. Faoiseamh de chineál éigin dó. Casann sé go mall, mall, le breathnú uirthi; ar a héadan, ar a béal, ar a beola. Beola binne blasta.

Tá an íomhá ar an scáileán á teilgeadh féin ina dubh agus ina bán ar aghaidh Ailbhe anois. Na scáthanna ag damhsa ar a héadan, á sníomh féin isteach i gcuasa boga a haghaidh. Idir dhorcha 'gus gheal ag líonadh línte an gháire ar an dá thaobh dá béal. Scáth éigin ag trasnú an leicinn uirthi agus ceann beag éigin eile ag ealaín leis an liopa íochtair; é ag suirí le beola binne Ailbhe. Greamaíonn súile Dhara den cheann seo ag an mbéal anois. An scáth ina chlipire bradach, ag bogadh leis go dána suas síos idir an dá liopa. Idir fhearg agus éad ar Dhara agus é ag breathnú air. Ardaíonn Ailbhe an leathlámh scaoilte agus déanann a béal a chuimilt, áit, is cosúil, a bhfuil dinglis bheag mhioscaiseach ag cur as di. Casann Dara ar ais i dtreo an scáileáin a luaithe agus a fheiceann sé an ghluaiseacht seo ag Ailbhe.

Ó, a mhama! Beirt ag pógadh a chéile ar an scáileán anois. Mo dhuine ag blaiseadh de bhéal na mná, de fhliuchras na mbeola, den deirge. An chuma air go bhfuil taithí aige ar a leithéid a dhéanamh. Taithí mar atá ag Brian Ó hIfearnáin agus ag an gcuid

eile díobh ar scoil, b'fhéidir; taithí atá ag an uile
dhuine ach amháin ag Dara féin. Airíonn sé fliuchras
an allais ar bhos na láimhe - an lámh chéanna atá i
ngreim le lámh Ailbhe. An mbrisfidh sé an ceangal?
Má bhriseann, an mbeidh sé de mhisneach aige greim
láimhe a bhreith uirthi arís? An bhfuil smaointe mar
atá aigesean ag rith trí intinn Ailbhe, seans? Ó, a
Dhia, céard a thug air í a iarraidh amach ar chor ar
bith? Trua aici dó ba chúis len í a theacht, ní foláir.
Thabharfadh sé gach a bhfuil aige a bheith as an
gcruachás ina bhfuil sé. Thabharfadh sé sin agus
mórán eile leis ach an mhuinín, an misneach, an
dánacht a bheith aige len í a phógadh. Ach, níl sin
aige; ní bheidh sin aige. Ó, ní mó a shásódh anois
díreach é ná go slogfaí lom glan as an láthair é.

Greim coinnithe ar lámh Ailbhe fós aige. É
éiginnte anois an ar a lámh féin atá an t-allas nó an é
allas Ailbhe atá ann, tá siad chomh dlúth dá chéile.
Tá seo chomh dian air. Ní thuigtear do chás an fhir
sna cúrsaí seo, síleann sé. Is cuimhin leis é sin a
léamh in áit éigin; tá an t-ualach ar an bhfear i gcónaí,
a dúirt an scríbhneoir, cibé a scríobh. Agus ceaptar
go bhfuil an fear lánmhuiníneach as féin; gach uile
fhear; Dara féin, go fiú. Níl insint ar an méid a
gheallfadh sé do Dhia ach é a thabhairt tríd an
aincheist seo. Nó, mura bhféadfaí sin, ba chuma leis
dá slogfaí isteach i bpoll mór dubh sa talamh é. Rud
ar bith a thabharfadh as an anbhroid é.

"Wine gum eile uait?"

Casann Dara. Is aisteach é, ach tá dearmad
déanta aige ar Ailbhe féin a bheith ann. An cruachás
ina bhfuil sé atá ag líonadh na hintinne air; é sin

amháin is cúis le dearmad a bheith á dhéanamh aige ar Ailbhe a bheith taobh leis. Ó a dhiabhail, nach í atá dathúil! Spéirbhean cheart, gan aon agó, a shíleann sé dó féin agus é ag breathnú uirthi. Sméideann sí i dtreo an mhála milseán atá anois leagtha ag ceann an taca uillinne aici.

"Ceann eile uait?"

Breathnaíonn Dara ar an mála. Ní cuimhin leis, go fiú, ar ghlac sé ceann an uair dheireanach ar thairg sí dó é nó nár ghlac.

"Beidh," ar sé. A luaithe agus a deireann sé go mbeidh, is cuimhin leis 'ní bheidh' a rá an uair cheana.

"Beidh," ar sé arís, agus síneann sé a lámh shaor i dtreo an mhála. Meascán den chiotacht agus den neirbhíseacht is cúis leis a lámh a bhualadh go místuama in aghaidh an mhála. Díbríonn sé an mála den taca uillinne agus síos leis na milseáin go dorchadas an urláir idir an dá shraith suíochán.

De gheit, briseann Dara an greim láimhe atá ar Ailbhe aige. Ó, a thubaiste! Fonn caoineadh ceart anois air. Ba mhaith leis dul síos i ndiaidh na milseán agus fanacht thíos. É sábháilte i rúndacht an dorchadais. Breathnaíonn sé ar Ailbhe. Ise ag breathnú airsin anois agus a lámh lena béal aici, agus í ar a dícheall gan gáire a dhéanamh. Deirge éadan Dhara ag casadh ina chorcra lena bhfuil de náire air. Fonn eascaine air, ach, má dhéantar san, is istigh i gciúine na hintinne a dhéantar é.

Ailbhe sna trithí anois, gan mórán smachta aici ar an ngáire. Dara in ann teas a aghaidh féin a aireachtáil, an fhuil ag cuisliú léi. Casann sé uaithi agus breathnaíonn arís i dtreo an urláir. A shúile ag dul i dtaithí ar an dorchadas thíos faoi seo. Buíocht an mhála á léiriú féin anois dó. Cromann sé a chloigeann isteach sa leathdhorchadas. Iarracht éigin é ar a thabhairt le fios go bhfuil dianchuardach ar siúl aige, ach, is mó is iarracht í ar éalú ó shúile Ailbhe a bheith ag breathnú ar a ghnúis. Cromann Ailbhe ar aghaidh anois agus, in aon am leis an gcromadh, trasnaíonn a ciotóg taca uillinne an tsuíocháin agus beireann greim arís ar dheasóg Dhara. Airíonn seisean mearú ina chuisleanna. Tá an dá aghaidh tumtha, taobh le chéile, i rúndacht an dorchadais; iad gar dá chéile - níos gaire dá chéile ná mar a cheadódh misneach Dhara dóibh a bheith. Ní thuigeann sé gur leithscéal ag Ailbhe é an cuardach seo: leithscéal chun an rud nach bhfuil sé de mhisneach aicise a dhéanamh a cheadú di féin chomh maith. A n-aghaidheanna an-ghar dá chéile. Cromann siad ar aghaidh ruidín beag eile fós agus, áit éigin idir an leathdhorchadas agus fírinne an dorchadais, teagmhaíonn a leicne dá chéile. Floscadh sa ghrua acu beirt agus cathú orthu soicind tarraingt amach óna chéile, ach ceadaíonn an dorchadas dóibh gan sin a dhéanamh. Teas leiceann a chéile ag cur na fola ag preabadh ina líonrith sna cuisleanna. Casann siad a n-éadan san dorchadas agus, de thimpiste, teagmhaíonn an dá shrón dá chéile. Timpiste na cinniúna. Creathán iontu beirt - insna beola; claonadh arís chun tarraingt siar, ach is tréine iontu fós é an cathú chun fanacht mar atá siad. Crapann Dara na liopaí in aghaidh liopaí Ailbhe agus crapann sise a liopaí féin chomh maith. A béal, a beola - iad binn blasta dó. Béal Dara, a bheola - binn blasta díse freisin, agus pógann siad a chéile. Póigín gearr na geanmnaíochta agus luíonn an dá shrón in aghaidh a chéile ar feadh roinnt soicindí ina dhiaidh.

Aníos as draíocht an dorchadais anois leo agus breathnaíonn siad beirt amach uathu i dtreo an scáileáin. A dhroim á bhrú in aghaidh chúl an tsuíocháin ag Dara, an croí ag rásaíocht ann agus é ar a dhícheall a bheith mall tomhaiste san análú. É fánach mar iarracht aige. An póigín sin - ba mhó i bhfad ná póigín máthar é. A bhlas ar a bhéal i gcónaí aige - é ag iarraidh greim a choinneáil air le go mblaisfidh sé de arís agus arís eile. An mar sin ag Ailbhe freisin é? Tá faitíos air breathnú ina treo féachaint an é an dála céanna aicise é. Ach airíonn sé a lámh ina lámh féin i gcónaí agus, mura bhfuil an-dul amú air, is daingne anois ná riamh an greim atá aici air. An croí ag moilliú ann beagáinín beag anois. Casann sé a chloigeann i dtreo Ailbhe athuair. Í ag breathnú uaithi ar an scáileán. Ar a béal atá súile Dhara. Na beola binne blasta atá anois, dar leis, níos deirge ná riamh. Casann Ailbhe ina threo arís agus leathann miongháire ceanúil ar a béal. Druideann an dá chloigeann i dtreo a chéile arís agus blaiseann siad de bheola a chéile don dara huair.

*   *   *

Siúl gusmhar faoi Dhara agus é ag déanamh ar an mbaile tar éis dó Ailbhe a fhágáil ag geata a tí féin oíche seo na póige. Fonn béicíle air lena bhfuil d'áthas ar a chroí. É fós in ann póg dheireanach na hoíche a bhlaiseadh ar a liopaí féin - í chomh húr, chomh tréan, chomh draíochtúil is a bhí nuair a bualadh air í - an phóg. Agus Brian Ó hIfearnáin agus a chuid:

bhuel, ní bhacfadh sé lena dhath a rá leosan. Binn
béal ina thost, más fíor. Binne béal blasta ina thost.
Ach, binne fós ná ceachtar den dá bhéal sin béal binn
blasta a Ailbhese, agus eisean ina thost faoi.
D'fhágfadh sé a gcuid cainte acu...

PUNK
agus scéalta eile

Nua-aoiseachas, spreagthacht agus eachtraíocht den scoth is saintréithe do na sárscéalta samhlaíocha seo. Tá cáil an Laighléisigh mar cheannródaí sa déaglitríocht aitheanta go náisiúnta agus go hidirnáisiúnta. Cás an íochtaráin is spéis leis sa chnuasach íogair seo - é íolbhristeach spleodrach dúshlánach ó thús deireadh - agus é de shíor ag cur in aghaidh na cneamhaireachta úd is cúis le híochtaráin a bheith ann.

ré ó laighléis

CLO MHAIGH EO

an taistealaí

Scéal eachtraíochta den chéad scoth ina shníomhtar samhlaíocht agus ard-cheardaíocht le chéile chun scéal an déagóra Damien a chur inár láthair. Céard is bunús leis na heachtraí mistéireacha a thiteann amach le linn dó tréimhse an tsamhraidh a chaitheamh ag obair in óstán diamhrach i gceartlár Pháras? Cá bhfios? Ach tá seo cinnte: ní mar an gcéanna é saol Damien riamh ina dhiaidh. Ní mar an gcéanna ach an oiread é saol an léitheora a thugann faoin nóibhille neamhghnách seo a léamh, bíodh sé ina dhéagóir nó ina dhuine fásta. Eachtra fáis, eachtra fuascailte, eachtra a chuireann orainn ár bpeirspictíochtaí ar céard is réalachas ann a athbhreithniú.

ré ó laighléis

CLÓ MHAIGH EO

Rugadh Ré Ó Laighléis sa Naigín, Co. Átha Cliath i 1953. Ghlac sé céim sa tSocheolaíocht agus sa Ghaeilge in Ollscoil na Gaillimhe (1978) agus ghnóthaigh sé iarchéimeanna san Oideachas i gColáiste Phádraig (G. D. Ed. 1980) agus i mBoston College (M. Ed. 1983). Tá sé cáilithe freisin mar Shaineolaí Comhairleach sa Léitheoireacht ag an Massachusetts State Board of Education (1983). Chaith sé dhá bhliain déag mar mhúinteoir i Scoil Iognáid, Gaillimh.

Ó 1992 i leith tá an Laighléiseach ina scríbhneoir lánaimseartha. Tá aithne fhorleathan air mar dhrámadóir, idir scríobh agus léiriú. Bronnadh Craobh na hÉireann den Chumann Scoildrámaíochta ar 6 dhrámaí dá chuid idir na blianta 1985 agus 1991. Tá Duais Chuimhneacháin Aoidh Uí Ruairc san Oireachtas gnóthaithe ag drámaí leis trí huaire. Agus i 1996 foilsíodh a shainleabhar drámaíochta d'oidí agus do pháistí, *Aistear Intinne* (Coiscéim).

Is mar scríbhneoir úrscéalta agus gearrscéalta, áfach, idir Ghaeilge agus Bhéarla, is mó atá aithne ar Ré Ó Laighléis. Tá aitheantas tugtha ag an gComhairle Ealaíon do thábhacht a scríbhinní trí Sparánachtaí sa Litríocht a bhronnadh air i 1991 agus arís i 1995/'96. Scríobhann sé don déagóir agus don duine fásta araon. Ar na saothair do dhéagóirí dá chuid is mó a bhfuil éileamh orthu tá *An Punk agus Scéalta Eile* (Cló Mhaigh Eo), buaiteoir Dhuais na Comhdhála 1987, *An Taistealaí* (Cló Mhaigh Eo), *Ecstasy agus Scéalta Eile* (Cló Mhaigh Eo), a bhuaigh an Bisto Book of the Year Merit Award 1995, agus *Gafa* (Comhar), a bhain gearrliosta an Bisto Book of the Year Award 1997 amach agus ar ar bronnadh an duais don Leabhar is Fearr do Dhéagóirí in Oireachtas 1996. Ainmníodh dhá shaothar eile leis don Irish Times Literary Award, mar atá *Ciorcal Meiteamorfach* i 1992 agus *Sceoin sa Bhoireann* i 1997. Ghnóthaigh *Sceoin sa Bhoireann* Duais Chuimhneacháin Sheáin Uí Éigeartaigh in Oireachtas 1993.

Bhain an Laighléiseach Duais Idirnáisiúnta NAMLLA sa bhliain 1995 agus an White Ravens International Literary Award 1997. Ainmíodh *Ecstasy and Other Stories* mar ionadaí na hÉireann ag Féile Leabhar Bhologna 1997 agus, sa bhliain chéanna, d'fhoilsigh Mondadori leagan Iodáilise den saothar. Is i 1997 leis a foilsíodh a shaothar *Cluain Soineantachta* (Comhar).

I 1998 foilsíodh an t-úrscéal *Terror on the Burren* (Móinín) agus is é Móinín a fhoilseoidh an t-úrscéal *Hooked* i ndeireadh 1998. Leabhar eile de chuid an Laighléisigh a fhoilseoidh Coiscéim i 1998 is ea an t-úrscéal *Stríocaí ar Thóin Séabra*.